하 루 를

독 서 로

시 작 합 니 다

하루를 독서로 시작합니다

발　행 | 2024년 05월 03일
저　자 | 이충희, 박영선, 류은주, 김주연
펴낸이 | 한건희
펴낸곳 | 주식회사 부크크
출판사등록 | 2014.07.15.(제2014-16호)
주　소 | 서울특별시 금천구 가산디지털1로 119 SK트윈타워 A동 305호
전　화 | 1670-8316
이메일 | info@bookk.co.kr

ISBN | 979-11-410-8354-0

하루를 독서로 시작합니다

이충희 · 박영선 · 류은주 · 김주연

프롤로그

독서하게 만드는 힘을 전하고 싶어 글을 쓰고 싶은 사람들이 모였습니다.

평일 새벽 정해진 시간에 일어나 독서하는 힘은 어디에서 나올까!
2022년 12월부터 시작한 온라인 새벽 독서 타임
정해진 시간에 독서하는 습관을 갖기 위해 시작했는데
1~2명씩 모이더니 꾸준히 활동하는 사람들이 생겨 지금까지 하게 되었습니다.
혼자라면 하기 힘든 일인데 함께 하는 사람들이 생기니 책임감도 생기고 서로에게 좋은 영향을 주고받을 수 있어 뿌듯함도 생깁니다.

긍정, 희망, 사랑, 꿈, 성장, 열정 등과 관련 글을 새벽에 읽으니 에너지가 생기고 활기찬 기운으로 하루를 시작하게 됩니다.

저자가 말해주는 내용을 곱씹어 읽으며 사유하는 시간이 행복합니다.
독서를 통해 '나다움'에 대해 알게 됩니다.
인생을 살아가는데 정답을 알려주는 사람이 없기에 책을 통해서 깨닫게 됩니다.

독서하는 것은 자기 행복을 유지할 수 있는 방법입니다.

책이 매개체가 되어 취미가 같은 사람들과 가까이하게 되고
이것을 통해 살아있음을 느끼게 되면 멈출 수가 없습니다.

하루에 10분이라도 시간을 내서
독서하는 독서인이 많아지기를 바라는 마음에서
읽기에서 쓰기까지 함께 했습니다.

독서를 망설이시는 분들
이 책을 통해 새벽 독서하는 이들이 들려주는 이야기를 들
어보시고, 독서의 의미와 가치를 알아가셨으면 합니다.

날씨도 좋은 계절
지금부터 우리와 함께 매일 책장을 넘겨보시겠습니까!

2024년 5월의 어느 날...
김 주 연

♥ 차 례 ♥

【한 권의 책을 읽음으로써 자신의 삶에서 새 시대를 본 사람이 너무나 많다.】

헨리 데이비드 소로

【생활 속에 책이 없다는 것은 햇빛이 없는 것과 같으며 지혜 속에 책이 없다는 것은 새에 날개가 없는 것과 같다.
책은 인류의 영양제다.】

셰익스피어

1 장 인생의 전반전

행복한 삶이란?

Are you happy now?

누군가 당신은 지금 행복하냐고 묻는다면 '그렇다.'라고 바로 답하기가 힘들 때가 많다. 이상하게 생각이 많아진다. '뭐 그렇게 불행하거나 괴롭지는 않은데 이런 평범한 상태를 행복하다고 정의해도 되는 걸까?'하는 생각이 든다. 왠지 행복은 지금보다는. 내 일상보다는……. 좀 더 밝거나 더 평화로운 모습이어야 할 거 같은 느낌이다.

고민이 있을 때 법륜스님의 즉문즉설을 즐겨보는데 많은 사람들의 다양한 고민을 듣고 있으면 위로가 된다. 모든 사람들이 참 평화로워 보이는데 다들 고민이 있다. 그리고 스님의 말씀을 듣다 보면 묘하게 별일이 별일 아니게 된다.

문제를 문제로 보지 말고 문제라고 생각하는 나를 바꾸라는
게 주된 핵심이다. 늘 거의 같은 내용이지만 해답을 들을
때마다 '아 맞아. 나도 또 알면서 반복하고 있구나. 내 욕심
으로 내 기준에 맞춰서 자꾸 생각하는구나.' 하는 깨달음이
생긴다. 늘 명쾌한 대답을 알려주시는 법륜스님이 전하는
행복에 대한 정의가 궁금했다.

　　스님이 말씀하시길 "행복은 괴롭지 않은 것."

괴롭지 않으면 행복? 그렇게 쉽게 행복하다고 말할 수 있
을까? 나는 너무 괴롭다고 혹은 불행하다고 생각한 적은
없는데. 그러면 참 행복하게 살았다는 건데. 아주 틀린 말
도 아니지만 나에게는 그 행복의 정의가 뭔가 좀 아쉬웠다.
내가 생각하는 행복은 스님이 말씀하시는 행복으로는 다 채
워지지 않은 느낌. 뭔가 아쉽다. 그러다가 내 생각과 맞닿
아 있는 행복의 정의를 찾았다.

　　삶은 거창한 것이 아니다.
　　지금 이 순간 자신이 희망하는 것을 하고 있다면,
　　바로 '행복'이라는 말을 떠올려도 좋다.
　　나에게는 하루하루의 책읽기와 글쓰기가 그 행복의
　　순간을 가져다 준다.
　　　　　　　 - 구본형 《익숙한 것과의 결별》 중에서

거창한 건 아니지만 단순히 괴롭지 않은 정도가 아니고 내가 하고 싶은 것을 하는 그 순간이 행복이다. 맞다. 하고 싶은 것을 늘 할 수 있는 건 아닌데 그걸 할 수 있다면 행복하다. 그렇게 생각하면 일상의 순간순간에서 행복한 일들을 발견하게 된다. 내가 좋아하는 커피를 마시는 순간 행복하고 아침에 잘 일어나서 독서 모임에 참석하고 나면 그 뿌듯함에 행복하고. 운동을 하면서 땀을 흘려도 행복하고. 내가 좋아하는 사람과 산책을 하는 것도 행복하다. 소소한 행복함 들이 쌓인다. 행복하다고 말하고 쓰면 뭔가 더 행복해지는 기분이다.

행복이란 내가 희망하는 것을 하는 것! 정말 마음에 쏙 드는 정의. 사실 내가 진짜 하고 싶은 것을 찾아가는 게 나를 찾아가는 과정이니까. 쉬운 듯 또 어렵다. 뒤돌아보면 그래도 나 정도면 여행도 많이 했고 좋아하는 취미생활들도 꾸준히 했고 하고 싶은 것들을 성취하면서 꽤 주체적으로 살아온 거 같기도 하다. 그런데 결혼을 한 뒤에는 삶의 방향이 달라졌다. 정말 하고 싶은 것들을 하기보다는 해야 하는 것을 미션 클리어 하듯 살았다. 우리 가족에게 우리 아이들에게 좋은 것들로 내 희망 리스트를 채웠다. 아이들이 행복해하면 그 뿌듯함으로 스스로를 칭찬했다. 가족의 기분이 내 기분이 되는 삶. 그런 육아를 10년쯤 하니까 뭔가 목까지 차오르면서 정말 여기까지야 하는 경고음이 울렸다.

여기서 더 이상하면 뭔가 그냥 다 놓고 싶을 거 같다는 생각. 지금 생각하면 번아웃 같은 증상이었던 거 같다.

가족 상담을 받고 가족회의를 거쳐 나는 오랜 기간 꿈꿔왔던 독일행 비행기에 올랐다. 물론 이전부터 독일 이민을 생각하고 있었기 때문에 사전답사 형식으로 가는 것이지만 그럼에도 결혼 생활 13년 후 오롯이 혼자일 수 있는 충분한 시간을 보냈다. 원래 혼자 있는 걸 좋아하지 않지만, 그때는 그런 시간이 좋았다. 나를 다시 찾는 시간이 필요했으니까. 나를 위한 장을 보고 내가 좋아하는 음식을 찾는 게 시작이었다. 그리고 일하지 않는 시간을 어떻게 보낼지 고민하게 되었고. 근처에 있는 마인강 산책을 시작했다. 그리고 많은 시간을 혼자 보내면서 내가 무엇을 좋아하는지 발견해 나갔다.

새소리를 들으면서 아침을 시작하기,
아름다운 길 산책하기,
기분에 맞는 음악 듣기,
비 오는 창 바라보기,
하얗게 쌓인 눈 위 걸어보기,
신선한 과일 먹기,
좋아하는 친구와 수다 떨기
지혜로운 사람들과 독서토론 하기,
새로운 언어로 의사소통하기,

회사업무 깔끔하게 처리하기,
예쁜 엽서 사기,
일상에서 친절한 사람들과 만나기,
아름답고 평화로운 풍경 감상하기

나를 알아가는 과정에서 나는 시각과 청각이 예민한 사람이라는 걸 알게 되었다. 행복한 기분을 느끼려면 아름다움이나 평화로움을 보고 느껴야 한다. 나를 조금 알고 나니까 행복하기가 훨씬 더 쉬워졌다.

생각보다 행복한 삶은 그렇게 거창하지 않았다. 조금만 더 사랑스럽게 내 일상을 관찰하면 숨겨진 행복함까지 더 발견할 수 있을 것이다. 내가 좋아하는 것들과 내가 하고 싶은 것들을 더 많이 찾아가면서 그걸 할 수 있는 행복한 내가 되면 좋겠다. 더 행복해지자.

인생에서 가장 중요한 것

 지금 40대 중반이니까 인생의 절반 정도를 살아왔다. 남들처럼 평범한 학창 시절도 보냈고, 내가 원하는 대로 취업하고 해외 파견도 가고, 결혼도 하고 아이도 낳았다. 대단하게 내세울 것도 없지만 크게 부족한 것도 없는 시간을 보내온 거 같다. 그러다가 작년. 가족의 장례식을 두 번 치르게되었다. 사람이 죽고 사는 건 하늘이 정하는 거라고 믿는 나는 두 번의 이별을 담담하게 받아들이려고 애썼다. 대체로 잘 지냈다. 남은 자는 또 남은 삶을 살아야 하는 거니까. 그러나 힘든 순간이 오면 또 이렇게 반복되는 고난을맞이하면서 아등바등 살아야 하느냐는 회의론에 빠진다. 내일 또 아침을 맞이하는 게 아주 기대되지 않는 그런 날들.도대체 왜 살아야 하나?

 언제부터인지 선비정신에 반해 누가 보든 안 보든 바른 행동을 하고 자존심을 멋지게 사용할 줄 아는 올곧은 사람이 되고 싶었다. 그래서 항상 더 나은 관계와 더 나은 삶을 위해서 애쓰고 노력했다. 그런데 애쓴다고 해서 삶이 더 나아지지 않을 때도 많고. 좋은 의도로 시작했지만. 오해로 끝나는 일도 많다. 그리고 나 자신이 늘 그렇게 멋지게 행동하지도 않았다. 쿨한 척하지만 쿨 하지도 않고 착한 척하지만 진짜 착하지도 않다. 그리고 무엇보다 어떻게 살든 크게 생각하면 다 무슨 소용인가……. 생이 다하면 언제 죽게 될지도 모르는데. 죽음을 생각하면 뭔가 계획하고 준비하고 반성하고 점진적으로 나아지려고 하는 내가 하찮게 느껴진다.

그래서 내가 인생에서 가장 중요하게 생각하는 게 뭘까? 정말 죽기 전에 무엇을 하고 싶을까? 고민하게 되었다. 죽음이 일주일 뒤라면 무엇을 하고 싶나? 이런 질문들을 답해보면 간단했다. 그런 극단적인 상황이 되면 가장 중요한 건 사랑이었다. 갑자기 시한부 인생이 된다면, 남은 시간은 내가 사랑하는 사람들을 만나서 사랑해 주고 또 사랑받고 싶다. 그게 나에게는 제일 중요하다. 물질적인 것에 큰 욕심이 없는 나는 내 노후는 사랑이 충만한 삶이기를 바란다. 편안한 평상복을 입고 두 손을 다정하게 잡고 산책하는 노부부를 보면 저렇게 살고 싶다는 부러움이 절로 생긴다. 죽음이 다가오는 순간에도 내가 사랑하는 사람이 나를 사랑하고 있다면 정말 잘 살았다는 생각이 들 것 같다.

인생에서 사랑이 가장 중요하지만 아이러니하게도 나는 사랑한다는 말을 자주 하는 편은 아니다. 갑자기 경상도 출신을 들먹이며 닭살이 돋아서 입으로 잘 나오지 않는다는 변명을 해왔다. 완전히 틀린 말은 아니다. 친구든 연인이든 가족이든 보고 싶다. 좋아한다. 사랑한다. 이런 표현을 직접적으로 표현하기가 쉽지도 않고 많이 해본 적도 없는 듯하다.

사실 나는 사랑이라는 감정을 좀 귀하게 대하고 싶었다. 누가 내 말을 기록하고 있는 건 아니지만 내가 아니까 아무에게나 쉽게 사용하고 싶지 않았다. 대충 좋아하는 감정을 가지고 사랑한다고 말하고 싶지 않다. 가족이라고 해서 무조건 사랑한다고 하고 싶지도 않다. 내가 누군가를 사랑한다고 말할 때 그 사랑의 정의는 그 사람이 나보다 더 소중하다는 의미를 가진다. 이기적인 내가 나보다 다른 사람을 더 소중하게 생각할 정도가 되려면 심사숙고의 과정이 필요하다. 그리고 내 감정의 진정성을 나 스스로 여러 차례 다시 검증해야 한다. 그래서 살아오는 동안 그렇게 많은 사람을 사랑한 것 같진 않다. 내가 사랑하는 사람은 몇 되지 않고 그렇게 사랑이라는 단어를 아낀 내가 마음에 든다. 내 기억 속에서도 내가 사랑한 사람들은 희소성이 있는 명품처럼 느껴지니까. 뭔가 귀하게 잘 대접한 기분이 든다.

그렇지만 정말 사랑한다는 확신이 든다면. 그때부터는 너무 귀하게 아끼지 말고 아낌없이 후회 없이 사랑한다고 표현해야지 다짐해 본다. 나이가 들어가는 것처럼 내 사랑도 더 깊어지고 성숙해지면 좋겠다. 더 조건 없이 사랑하고 아낌없이 응원하는 내가 되어서 행여 내가 죽어서 이 세상에 없더라도 사랑하는 사람의 마음속에서 영원히 함께 살아가길 바란다. 그래서 힘든 순간에 나를 떠올리면 뭔가 따뜻함이 느껴지고 위로가 되면 좋겠다. 그런 사랑을 할 수 있다면 그 사람의 마음속에 항상 살아 있는 거니까 죽어도 진짜 죽은 건 아니라는 생각이 든다. 그런 큰 사랑을 실천하는 내가 되면 좋겠다.

혼자 잘 노는 방법

주말이나 공휴일이라 회사 일도 없고 약속도 없고 혼자만의 자유시간이 생기면 어떻게 놀아야 할지 여전히 어렵다. 처음 2시간 정도는 보고 싶었던 드라마나 영화도 보고 뒹굴뒹굴하는 자유시간을 만끽하면서 역시 일정이 없으니 편하고 즐겁다. 그런데 3시간 정도 지나 뒹굴뒹굴하는 나 자신을 보면 여지없이 뭔가 바람직하지 않다는 생각과 함께 가라앉는 기분. 그러다 해가 지면서 어둑어둑한 저녁이 되면 소중한 하루를 낭비했다는 자책감까지 생기면서 머리가 아프다.

이런 기분이 너무 싫어서 예전에는 항상 주말 약속을 미리 잡고 뭔가를 했다. 아이들이 어릴 때는 아이들을 데리고 여행을 다니거나 체험학습을 했고 그게 안 되면 친구와 약속을 잡았다. 하지만 여러 가지 이유로 계획했던 일정이 없어지는 날에는 또 혼자만의 시간을 잘 보내야 하는 숙제가 생긴다. 일도 하고 아이들도 키우고 운동도 하고 독서 모임도 하고 늘 뭔가 바쁘게 살아가는데 쉬는 날 쉬기만 하면 뭔가 마음이 불편하다. 예전에는 약속이 없으면 재미가 없고 혼자라서 심심하고 외롭다는 정도의 수준이었다면 최근에 그 불편함이 더 심해졌다.

 그런데 도대체 왜 불편할까? 가만히 생각해 보면 작년 한국에 와 살기 시작하면서 이 불편한 마음이 더 커진 거 같다. 쉬는 날이니까 아이들과 새로운 경험을 하면서 제대로 놀든 그게 아니면 주중에 뭔가 부족했던 부분을 채우든 재미나 유익, 둘 중 하나는 만족이 되었으면 좋겠다. 이도 저도 아닐 때 기분이 좋지 않다. 스스로 불합격도장을 찍은 하루를 보낸 느낌.

 든든한 배경도 없고, 내세울 뛰어난 능력도 없고, 그나마 성실한 하루하루가 쌓여야 그래도 바라볼 미래가 있는데 마지막 기회를 내가 놓친 기분이랄까? 이 기분의 정확한 이름은 불안이 맞을듯하다. 오늘 아무것도 한 게 없어서 내 미래에 대한 불안감이 커진다. '열심히 해도 불안한데 이렇게 놀아서 원……. 어떻게 하려고 그래?'하는 걱정이 생긴다. 한편에서는'아니야, 쉴 때는 쉬어야지. 잘 쉬어야 더 도약할 수 있는 거야.' 하는 목소리도 들린다. 하지만 쉬는 순간에도 빡세게 제대로 잘 놀아야 만족이 되니……. 어휴,

쉬기도 어렵다. 그래서 그 많은 자기반성과 고군분투를 거쳐 지금 나에게 혼자 잘 노는 방법이 뭐냐고 묻는다면? 완성형까지는 아니지만 최근에 만족도가 꽤 높은 방법을 하나 찾았다.

우선 내일이 쉬는 날이라 혼자 보낼 수 있는 자유시간이 주어졌다면 우선 오늘 해야 할 일들을 모두 잘 마무리하고 보고 싶었던 영화를 늦게까지 보거나 책을 읽다가 잠자리에 든다. 그리고 자고 싶은 만큼 최대한 늦게까지 잔다. 깨고 나서도 바로 일어나지 않고 누워서 드라마나 유튜브도 보고 음악도 듣고 책도 보고 뒹굴뒹굴하다 졸리면 편하게 다시 잠든다. 서두를 필요도 없고 자유롭고 평화로운 그 순간을 최대한 즐긴다. 여기서 중요한 건 편안함에 매몰되어서 너무 오래 그렇게 있으면 절대 일어나지 못한다는 것. 그래서 행복한 폐인의 시간을 최대한 즐긴 뒤 내가 향하는 곳은 도서관이다. 기분이 좋을 때는 공부할 것을 들고 가지만 기분이 다운되거나 피곤한 날에는 그냥 빌린 책을 반납만 할 생각으로 일단은 무조건 가려고 애를 쓴다.

감사하게도 아직은 도서관에 들어가면 마음이 안정된다. 주말에도 연말에도 도서관에는 열심히 살아가는 사람들이 많다. 모두가 노는 날에도 도서관에서 뭔가 집중하는 사람들을 보면 그 몰입과 노력에 대한 숙연함과 존경스러움이 생긴다. 나만 혼자 애쓰면서 살지 않는다는 안도감도 들고.

다른 사람들은 뭘 이렇게 열심히 공부할까 하는 호기심이 생기면서, 어느새 나도 뭔가를 하고 있다. 눈에 들어오는 책을 읽거나 노트를 꺼내 일상을 정리한다. 그렇게 도서관 동지들과 혼자인 듯 아닌 듯 있다 보면 재미와 유익을 모두 챙긴 좋은 쉼이 된다. 한 주를 정리하고 나를 돌아보는 시간이기에 혼자라서 더 좋기도 하다. 45살. 드디어 혼자 잘 노는 방법 하나를 발견했다.

불안과 이별하기

 모든 사람이 그렇듯 나 역시 불안한 마음이 한번 들기 시작하면 멈추기가 어렵다. 나는 성실한 나를 좋아하지만 때때로 불안감으로 제대로 즐기지 못하는 나를 보면 안타깝고 짠한 감정이 든다. 뭔가 열심히 하지 않으면 불안하고 노력한 결과가 빨리 나오지 않아도 불안하다. 뭔가 잘못되었나? 계속 생각하면서 수정하고 보완해야 한다. 삶을 일 하듯 노력에 노력을 더한다. 때로는 나를 태우며 사는 느낌이 들기도 한다. 왜 이렇게 피곤하게 사는지……. 이런 내가 싫은 순간들이 있다. 정말 불안과 이별하고 싶다.

 정신분석학자에 따르면 불안한 마음이 생기기 시작하면 불안을 인지하는 편도체에서 '불안해. 이 느낌을 잊지 마!'하고 해마에 전달하면서 장기기억으로 만들려는 성질이 있다고 한다. 그러니 불안한 마음이 생기기 시작하면 자동으로 불안이 장기기억으로 저장되면서 불안감이 더 커지는 악순환이 되는 구조다. 뇌 안에 이성적 사고나 감정을 담당하는 전두엽이라는 곳이 있는데 불안하거나 우울한 사람들은 전두엽이 제 역할을 하지 못하는 상태다. 그러니까 불안감이나 우울증을 겪는 사람에게 "힘내", "파이팅"같이 의지를 강조하는 말은 응원이 아니라 불가능한 것을 하라고 강요하는 꼴이다.

그러면 증폭되는 불안감을 낮추는 방법은? 전두엽에 더 큰 자극을 주어서 불안을 낮추는 것이다. 전문의가 추천하는 가장 좋은 방법은 운동과 글쓰기였다. 운동을 하면 보통 걷거나, 뛰고, 움직이기 때문에 전두엽을 계속 쓰고 뇌에 큰 자극을 줄 수 있어서 불안감이 줄어든다고 한다. 글쓰기는 거창한 글을 쓰라는 게 아니라 자신의 감정을 솔직하게 일기 형식으로 쓰는 것을 권했다. 불안한 감정을 명명하지 않고 그냥 머릿속에 두면 불안이 더 크게 느껴지기 때문에 그 감정을 쓰고 왜 그런 기분이 들었는지 솔직하게 두서없이 써 내려가면 된다.

사실 두 가지 방법은 모두 내가 종종 사용하고 있는 오랜 습관이다. 특히 글쓰기를 자주 이용하는데. 컴퓨터를 켜고 그냥 머릿속에 떠오르는 모든 생각들을 써 내려간다. 혼자 묻고 답하기를 무한 반복하다 보면 보통 1~3페이지 정도 쓰는데……. 신기하게 그 이상까지 쓴 적은 거의 없었다.

조금 쓰다 보면 대충 원인이 뭔지 몇 가지 정도로 요약이 되고 그러면 어떻게 하고 싶은지……. 또 내 머릿속에 떠오르는 방법들을 써 내려간다. 그렇게 쓰고 나면 사실 생각보다 그렇게 최악의 상황은 아니라는 걸 알게 된다. 그리고 상황이 나빠진다고 해도 어느 정도 대책은 마련해 놓았으니, 처음만큼 불안하진 않다.

글쓰기를 했지만, 여전히 답답하고 불안하다면 산책을 했다. 1시간 동네를 걷고 음악도 따라 부르면 가만히 있는 것보다는 확실히 좋다. 하지만 글쓰기와 산책보다는 배드민턴이나 필라테스처럼 뭔가 더 활동적인 운동을 할 때 불안함이 사라지고 기분이 전환됨을 느낀다. 땀을 흠뻑 흘리고 나면 그 전과는 달라진 나를 발견하게 되니까. 불안과 이별하고 좋은 기분을 유지하기 위해서 평일 아침에는 운동을 하려고 노력한다. 진짜 효과가 있다.

여행을 하는 이유

사실 그사이 잘 지내고 있었는데 또 답답함이 몰려왔다. 반복되는 문제들. 지난달에 했던 고민이 또 지금의 고민이 되는 삶. 아 지겹다. 다음 달에도 또 같은 문제로 아등바등 하면서 살겠지. 미래가 기대되지 않는다. 새로운 취미나 여행이 도움이 된다는데 그런 조언조차도 사실 끌리지 않았다. 삶의 에너지가 방전된 느낌. 어제까지 하루를 그렇게 열심히 살아냈는데, 한순간에 사람이 이렇게까지 무기력해지는 건지. 모든 게 의미 없어지는 순간이었다.

그런 타이밍에 부산에 가게 되었다. 설날을 맞아 부산에 가야 하는데 기차 예매를 못해서 본의 아니게 평일에 내려가는 일정으로 변경했다. 아이들도 방학이고 나도 재택근무를 하니까 내가 바쁘긴 하지만 가능한 일정이었다. 오전에 부지런히 움직이고 업무가 시작되는 오후에는 나는 숙소에서 일을 하고 아이들은 숙소 근처에서 자유롭게 놀면 된다.

 새로운 경험을 해보자는 마음으로 KTX가 아닌 느린 무궁화를 예약했고 숙소도 처음으로 해운대가 아닌 서면으로 잡아 보았다. 화장실이 딸린 방이 아닌 공동욕실을 사용하는 숙소를 예약했다. 평소에는 체크카드를 사용했지만, 이번에는 금액에 대한 스트레스를 받고 싶지 않아서 신용카드를 사용했다. 금액이 얼마든 좀 가볍게 써보자. 진짜 비싼 거 아니면.

 늘 자던 곳이 아닌 새로운 환경에서 잠을 자고 새로운 음식을 먹고 새로운 곳에서 일을 하니까 놀랍게도 새로운 에너지 같은 게 생긴다. 정말 신기하다. 기념품 가게에서 친구에게 줄 작은 기념품을 고르면서 기분이 좋아졌다. 그냥 좋아하는 걸 먹어도 사실 이것저것 따지면서 먹는 것보다 그렇게 많이 비싸지도 않았고 조금 비싼 기념품을 사도 내 은행 통장에 큰 타격을 주지 않았는데 그동안 왜 그렇게 쪼그라들어 절약과 긴축재정을 외치며 살았는지…….

 낯선 환경은 나라는 사람이 뭘 더 좋아하는지 어떤 공간과 어떤 순간이 나에게 평화로움을 주는지 다시 깨닫게 해줬다. 부산 여행에서는 우연히 숙소 로비에서 읽은 책, 친구와의 밤샘 수다, 해운대 아침 산책, 가족들과 점심. 기차에서 마신 바나나 우유가 나에게 즐거움을 선사했다. 가장 많은 돈을 썼지만, 사람이 북적이는 스파는 내 취향이 아닌 것을 한 번 더 확인했다. 그리고 숙소에서 읽었던 책을 통해서 내 버킷 리스트에 한 줄을 추가하게 되었다.

> 김연수 작가는 평생 가장 좋아하는 책 백 권을 업데이트한 다음, 일흔이 넘어서는 그 책들만 반복해서 읽다가 죽고 싶다고 말한 적이 있다.

> 살아가는 게 열 권의 진짜 좋은 책과 열 군데의 진짜 좋아하는 여행지를 알아가는 일이라면, 어떤 경험도 어떤 시간도 기꺼울 수 있을 것 같다.

> — 김신지,《평일도 인생이니까》중에서

일흔까지 내가 가장 좋아하는 책 백 권을 업데이트하고, 정말 좋았던 여행지 리스트 백 군데를 완성하는 작업을 따라 해보려고 한다. 일흔까지 성장하는 삶을 산다. 하지만 일흔부터는 사랑하는 사람과 내가 좋아하는 여행지에서 그 책들을 여유롭게 한 권씩 읽는 모습을 상상해 본다. 벌써 행복이 깃든다. 소중한 나의 베프, 독서와 여행을 인생에 멋지게 접목하는 방법이라 더 마음에 든다. 설령 이번 여행이 재미가 없었더라도 지금 읽은 책이 별로 남는 게 없더라도 나만의 최종 리스트를 만들기 위해서는 이런 모든 경험과 시간에 의미가 생긴다.

여행하는 이유는 지금 가고 있는 삶의 방향이 맞는지 잠깐 멈추고 숨을 고르면서 생각하는 시간이 필요하기 때문이 아닐까 한다. 무조건 앞만 보고 열심히 달려갈 게 아니고 달려가는 그 방향이 정말 내가 가고 싶어 하는 곳인지 확인해야 한다. 좌회전도 하고 우회전도 하고 필요하면 유턴도 해야 할 거다. 그래도 결국은 내가 가장 좋아하는 곳, 그 평화로운 곳을 찾는 과정이니까 지금 하는 모든 실패조차도 의미가 있다. 순간순간이 소중해진다. 여행은 진정한 나를 다시 만나게 하고 앞으로 나아갈 길을 알려주는 나의 든든한 벗이다.

잘 헤어지는 법

　살다 보면 내가 원하지 않는 이별을 경험하게 된다. 갑작스럽게 원하지 않는 이별을 겪게 되면 세상에 혼자 남겨진 기분이 들고 외롭고 괴로운 마음으로 힘든 시간을 보내게 된다. 이 말을 하지 않았더라면 이 행동을 그때 하지 않았더라면 이런 이별을 하지 않았을지도 모른다는 후회와 자책의 시간도 거쳐 간다.

　어떤 이유든 이별을 한 뒤에는 마음이 아프고 하루에도 수많은 감정이 오가기 때문에 무엇이 최선인지는 아직 답을 찾지 못했다. 하지만 책을 읽고 유튜브 강연을 보면서 도움이 되는 방법을 찾다 보니……. 충분히 힘들어하고, 충분히 슬퍼하고, 힘들면 병원에 가서 약도 타 먹고, 운동도 하고, 엉엉 울다 보면 또 괜찮아져 있을 거라는 말이 오히려 위로가 되었다. 헤어질 때는 그냥 바닥까지 힘들어하고 슬퍼해

보는 것. 그리고 바닥에서 올라가고 싶을 때 또 천천히 올라가면 되는 것이다.

 그렇지만 내가 돌봐야 할 아이들이 있고 힘들다고 계속 울면서 바닥에만 머물러 있을 수는 없다. 너무 힘들지만 내 마음을 다잡고 싶을 때. 그만 바닥에서 올라가고 싶을 때. 우연히 보게 된 한 유튜버의 메시지가 도움이 되었다.

　원래 우리는 0으로 태어난다.

　그런데 이 사람이 나에게 와서 행복한 시간을 주고, 설렘을 주고, 사랑을 주고, 좋은 기억을 만들고 아름답게 사랑을 한 것이다.

　그 시간은 내 인생에 그냥 보너스였다.
　원래 내 것이 아니었다.

　그러니 그것을 감사하게 생각하고
　그 사람의 행복을 빌며 사랑으로 다시 보내주자.

　　　 - 굿수진, 유튜브 동영상 중에서

 과거는 어차피 못 바꾸는 거고, 내가 할 수 있는 건 그 과거를 아름답게 기억하고, 그 과거에서 배울 수 있는 것들을 배우고, 더 나은 사람이 되어가는 것. 그리고 새로운 사람이 찾아오면 나의 모습을 보여주면서 또 새로운 사랑을 할 것. 그러다가 또 이별이 찾아오면 그 사람에게서 배워야 했던 것들을 다 배운 순간이구나 그렇게 생각하고 또 받아들이면 된다.

왜 내가 이런 이별을 겪어야 하는지 슬픔과 억울함에 집중하면 함께 한 모든 시간을 부정하게 되는데 애초에 나에게 없었던 거지만 보너스로 가지게 된 소중한 시간으로 생각하니까 같은 상황이지만 슬픔이 감사함으로 채워지는 마법이 생겼다. 모든 게 마음먹기에 달린 건 알았지만 이렇게 생각해 보니까 이별의 아픔보다 감사한 시간이 더 많았다는 걸 알게 된다. 이별을 두려워하지 않고 감사함으로 나를 채울수 있다면 누구 와도 잘 만나고 또 잘 헤어질 수 있다. 그렇게 잘 헤어질 수 있으면 정말 단단한 사람이 될 수 있을 것 같다.

2 장 후반전을 맞으며

딸에게 보내는 편지

안녕! 엄마 사랑, 예쁜이와 귀염둥이.

매일 보는 딸들에게 편지를 쓰려니까 조금 어색하긴 하지만 엄마가 늘 하고 싶었던 이야기들을 남겨볼까 해.

우선 엄마 딸로 태어난 너희 둘에게 고맙다고 말하고 싶어. 아이들을 좋아하지 않는 엄마에게 큰 말썽도 없고 잘 웃는 밝은 아가들이 와줘서 정말 행운이라고 생각해. 깨어 있을 때는 오만가지 잔소리를 하지만 곤히 자는 너희들을 보면 항상 감사한 마음이 든다. 엄마의 착한 딸이 되어 줘서 고마워.

엄마도 엄마가 처음이라 아무리 육아서를 읽고 강연을 들어도 부족한 부분들이 많았던 거 같아. 항상 너희들의 말에 공감해주고 친절한 엄마가 되려고 노력했지만 그러지 못한 순간들도 많았고. 행여나 엄마 때문에 상처를 받은 게 있다면 이 기회를 통해 사과하고 싶어. 미안하고 또 미안해.

벌써 너희들이 10대가 되어서 성인이 될 날이 다가오고 있어. 지금까지 너무 잘해 왔기에 너희들의 반짝이는 앞날이 기대돼. 일상의 과제도 책임감 있게 잘하지만 즐거움도 놓치지 않는 너희들이라 안심이 된다.

살다 보면 좀 앞서는 날도 있을 거고, 혼자 뒤처져 속상하고 마음 아픈 날도 분명히 있을 거야. 엄마도 실패가 싫었지만 살아보니까 하나의 문이 닫히면 또 새로운 문이 열리는 경험을 반복하게 돼. 그러니까 그때는 분명히 실패였는데 지나고 보니까 오히려 더 좋은 결과로 이어지는 경우도 많았어. 그러니까 너무 앞선다고 잘난 척하지 말고 뒤처진다고 움츠러들지 말고 하루하루 성실하게 너의 꿈을 위해 한 발짝만 전진하려고 노력하면 좋겠어.

그리고 네 꿈을 열심히 펼치다가 좀 실수하고 실패해도 괜찮아.

엄마가 항상 네 옆에 있을 거니까.

엉엉 울고 같이 맛있는 거 먹고 여행도 가고 재충전해서 다시 일어서자.

그러니까 어떤 상황에서도 쫄지 말고 당당하게 네 꿈을 위해 나아가렴.

엄마와 함께하는 마지막 날까지 우리 함께 건강하고 아름다운 사람이 되도록 노력하면 좋겠어. '아름답다.'에서 '아름'의 어원은 '나'를 뜻한다고 해. 그래서 '아름답다.'의 진정한 의미는 '나답다.'라고 하더라고. 이 의미를 알게 된 뒤로 엄마는 '아름답다.'라는 단어가 좋아졌어. 엄마도 우리 딸들도 내 마음의 소리에 귀 기울이고 나답게 살아가는 아름다운 사람이 되면 좋겠다.

앞으로도 지금처럼 건강하게 아름답게 즐겁게 살아가자.

엄마가 많이 사랑해. I Love You, YS and YH.

나에게 보내는 내사용 설명서

"인생이나 풋볼이나 1인치씩 앞으로 가는 것일 뿐
이다. 그 1인치에 얼마나 최선을 다하느냐에 따라
거기서 승리와 패배가 갈라진다. 승리와 패배의 차
이는 결국 1인치의 차이다. 우리는 오늘 1인치를
위해 달릴 뿐이다."

- 올리버 스톤 감독 영화 중에서

보잘것없어 보이는 1인치 전진을 위하여 오늘 외롭
게 최선을 다하는 힘이 바로 성공의 원동력이다.

- 세이노,《세이노의 가르침》중에서

1인치의 전진과 외로운 최선. 위로와 격려가 되는 말이었다. 나 혼자 이런 시간을 보낸 게 아니구나……. 뒤돌아보면 전속력으로 달려가고 싶은데 제자리걸음 하거나 후진하는 순간들이 많았다. 행복한 기억들도 너무 많지만, 외로운 적도 많았던 거 같다. 수많은 기쁨과 좌절을 반복했던 내 인생의 전반전. 용감하게 도전하고 깨지고 또 노력해서 그래도 이만큼 왔다는 생각이 든다. 아직 이렇다 할 결과물이 없지만 그럼에도 나는 내가 살아온 전반전에 후한 성적표를 주고 싶다. 나의 애씀이 애틋하고 그런 애씀을 통해 조금 더 성장한 기분이 든다. 그리고 무엇보다 나 자신을 더 알게 되어 기쁘다.

인생의 전반전을 통해 알게 된 나와 친해지는 법을 내사용 설명서라는 이름으로 남겨본다. 남은 인생 후반전에서 또 길을 잃는 순간이 온다면 이 사용 설명서를 읽고 나를 예쁘게 사용해 주길 바라본다.

첫째, 운동을 꾸준히 하자. 내 남은 후반전도 전반전만큼이나 건강하게 살기를 바라기 때문에 운동을 최우선에 두었다. 특히, 나의 불안과 우울을 이겨내는데 가장 효과가 좋았던 건 단연코 운동이다. 배드민턴이나 필라테스처럼 그 순간 집중할 수밖에 없는 고강도 운동을 하고 나면 땀이 나면서 기분이 확실히 좋아진다. 전두엽에 불을 질러서 부정적인 생각이 들어올 자리가 없다. 운동 실력이 향상될 때 느끼는 성취감까지 있어서 재미와 유익을 모두 얻을 수 있다. 지금처럼 아침 시간을 잘 활용해서 매일 운동하는 삶을 이어가길 바란다.

둘째, 경제적 자유를 이루자. 100세를 넘어 120세 인생을 준비해야 하는 시대를 살고 있다. 회사에 정년까지 다닐 수 있다고 하더라도 은퇴 후 남은 시간이 너무 길다. 어떤 상황에서도 누군가에게 짐이 되거나 초라한 삶을 살고 싶지 않다. 회사에 다니더라도 재테크 공부를 꾸준히 해야 내가 원하는 경제적 자유에 이를 수 있다. 좋은 책을 읽고 항상 배우며 나만의 투자 철학을 만들어야 한다. 투기하지 않고 안정적으로 분산투자 하면 좋겠다. 지금처럼 많은 시도를 하면서 다양한 분야에서 안정적인 패시브 수입이 들어오는 시스템을 만들어 놓자.

셋째, 책을 늘 가까이하자. 아침에 일어나 책을 읽고 좋은 생각으로 하루를 시작하는 것, 지혜로운 사람들과 책을 읽고 토론하는 것, 책을 읽고 내 생각을 글로 써 보는 것. 이런 과정들을 통해 나에게 질문하고 스스로 답하고 그렇게 조금씩 나 자신을 들여다보게 된다. 나를 알아가는 데 가장 도움이 되는 건 독서였다. 혼자만의 시간에서 유일한 친구도 책이었다. 앞으로도 외롭고 괴로운 순간들이 올 때면 타인의 관심과 사랑에 의지하지 말고 책을 벗 삼아 위안을 받고 그 힘듦을 이겨내 보면 좋겠다.

넷째, 외국어를 배우자. 대학 때 열심히 영어 공부를 한 덕분에 부족한 영어 실력이지만, 취업도 하고 해외 파견도 가고 해외여행도 많이 다녔다. 영어를 공부 하지 않았더라면 내 인생이 어떻게 달라졌을지 상상하기 어렵다. 영어를 통해서 새로운 내가 다시 태어난 기분이 든다. 무엇보다 영어를 사용할 때 더 솔직하고 더 자유로운 나를 만난다. 그런 내 모습이 좋다. 그래서 이런 자아를 하나 더 만들어 보면 좋을 거 같다는 생각을 해본다. 언젠가 다시 독일로 가보고 싶기에 새로운 언어로 독일어를 생각하고 있다. 가벼운 마음으로 천천히 배워 가면 재미있을 거 같다.

다섯째, 새로운 곳으로 자주 여행을 가자. 쇼핑을 가면 금세 피곤해지지만, 여행을 가면 설레고 새로운 에너지가 생긴다. 한 번도 가보지 않은 새로운 장소가 주는 기쁨이 있다. 같은 장소라도 다른 계절이 주는 새로움도 있고. 분명 일상에서 보는 하늘인데 여행할 때면 같은 하늘이 더 푸르고 예쁘게 보인다. 내 모든 시간과 에너지를 새로운 장소에 쓰기로 다짐한 사람처럼 내 모든 감각을 아름다움과 즐거움을 찾는 데 쓴다. 일상에 파묻혀 내 감각까지 익숙해지지 않도록 아름답고 평화로운 곳으로 나를 자주 데리고 가주면 좋겠다.

여섯째, 마음으로 이어진 친구를 곁에 두자. 가장 어려운 게 인간관계라는 생각이 든다. 너무 가깝지도 멀지도 않은 그 가운데 어딘 가가 가장 행복한 지점인데 그걸 알아채기가 참 어렵다. 내 곁을 지켜주는 사람들이나 순간순간 만나는 시절 인연에 늘 감사한 마음을 내야 하지만 내가 너무 애써야 유지가 되는 관계라면 안녕을 빌어주는 이별도 필요하다. 인간관계에서 가장 중요한 건 내 마음을 궁금해하는 사람을 곁에 둬야 한다는 것이다. 그리고 나도 상대의 마음을 살펴야 한다. 그렇게 마음으로 이어진 관계가 있어야 내가 숨을 쉴 공간이 생기고 마음으로 이어진 사람만이 줄 수 있는 따뜻한 경험을 할 수 있다.

일곱째, 인생 별거 없다. 즐겁게 살자. 그리고 성장하는 삶을 살아가자. 이제 겨우 반을 살아왔지만 지나고 보니 인생을 너무 진지하게 살 필요가 없다는 생각이 든다. 내가 지금 가지고 있는 것들에 감사한 마음을 내고, 오늘 해야 하는 일과 하고 싶은 일의 균형을 맞춰 조금씩 해 나가면 된다. 나라는 사람은 새로운 것을 배우고 성장하는 성취감에서 큰 행복을 느낀다. 그러니 나이가 들어도 꾸준히 배우고 새로운 즐거움을 찾아가길 바란다. 에머슨의 시에서 말하듯 내가 태어나기 전보다 세상을 조금이라도 살기 좋은 곳으로 만들어 놓고 삶을 마무리하면 좋겠다. 아이들이 독립하고 나면 해외 봉사활동을 하든 환경운동을 하든 나누는 삶도 실천해 보자.

 일곱 가지 내 사용 설명서를 잘 활용해서 후반전에는 나를 더 사랑하고 타인을 배려하는 아름다운 사람이 되면 좋겠다. 그리고 내가 살아있음으로 내가 사랑하는 사람의 인생이 더 행복해졌다면 생의 마지막 날 잘 살았다고 말할 수 있을 거 같다. 삶의 마지막 그 순간까지 사랑이 충만한 삶을 살아가길 바라본다.

3 장 　　　나

내 삶의 돌파구 새벽독서

23년 1월. 부서 변경이 있었다. 신설된 부서였지만 업무가 변경된 것은 아니어서 마음의 부담은 없었다. 다행인 점은 부서원들 모두 의욕적이었다. 잘 꾸려서 큰 부서로 성장하자며 의지를 불태웠다. 하지만 현실은 녹록지 않았고, 신생 팀이 헤쳐 나가기엔 버거울 만한 이런저런 일들이 하나둘 터졌다.

적은 인원으로 부서의 일을 처리하다 보니, 모두에게 업무가 가중되었다. 일도 일이지만 사람을 힘들게 하는 것은 사람이라고 하지 않았던가. 내 인생 최고 어려운 상사를 모시게 되었고, 그건 나뿐만이 아니었다. 상처받은 팀원들이 하나둘 그만두고 새로 채워지기를 반복하며 남은 사람들의 스트레스가 극에 달하고 있었다.

나는 긍정적인 사람이라 '좋은 게 좋은 거지'하며 좋게 생각하려고 노력한다. 그리고 신통방통하게도 뇌가 차단하는 건가? 싶게 나쁜 일은 빠르게 잊는다. 이런 나도 숨이 턱 막힐 정도로 팀 분위기가 좋지 않았다. 월요병이 없던 나인데 하루하루가 월요병이었고, 하루 종일 기분이 우울했다.

부정적인 감정은 번지는 불처럼 몸과 마음을 집어삼킨다. 사람의 뇌는 긍정적이고 좋은 것보다 부정적이고 나쁜 것에 빠른 적응력을 보인다. 그래서 여럿이 모인 자리에서 한 명이 불만을 쏟아내기 시작하면 전반적인 분위기가 나쁜 쪽으로 흘러가게 된다. 어떤 사람에 대해 나쁘게 생각하기 시작하면 그 사람의 존재가 극도로 싫어지는 것도 같은 이치이다. 부정은 부정을 낳고 평소라면 기분 나빠 하지 않을 사소한 일에도 바르르 화를 분출하게 된다. 이런 감정은 생활을 전반적으로 피로하게 하며 나의 경우는 그 화살이 가족에게 돌아가는 아픈 경험을 하게 되었다. 눈덩이처럼 불어난 부정은 나를 갉아먹는 좀 벌레 같았다. 얼굴도 인상을 쓰고 있는 표정으로 굳을 지경이었고, 즐거운 일에도 감흥 없는 날들이 이어졌다.

내 신경을 끊어 내야 했다. 온 신경을 몰입할 새로운 일이 필요했다. 다른 쪽으로 관심을 돌리고 더 신나고 더 즐거운 하루를 나에게 주어야 했다. 그때 지인의 추천으로 김미경의 《마흔수업》을 읽게 되었는데 새로운 문이 열리는 기분이 들었다. 하루하루 최선을 다하는 삶을 살고 있는 사람을 닮고 싶었다. 내 삶을 어떻게 살고 있나 고민해 보게되었고, 하루를 살아가는 정도로만 여기고 있다는 사실을 깨달았다. 의식에 흐름에 맞춰 지금 회사에 가야 하니까 가고, 지금 밥을 먹어야 하니까 먹는 삶이었다. 내 인생의 주인이 내가 아니었다. 그러니 타인의 감정에 휘둘리며 힘들어질 수밖에 없었다.

내 인생의 주인 노릇을 하려면 적극적으로 방법을 찾아야한다. 나의 경우는 타인에 의해 흔들리지 않는 단단한 자기신념이 필요했다. 그러기 위해 더 많은 책을 읽고 싶었고, 책을 읽을 수 있는 시간을 만들어야 했다. 일과 육아에 쓰지 않는 시간은 새벽뿐이었다. 운 좋게도 새벽독서모임을 알게 되었고 나를 위해 새벽 독서를 시작하게 되었다. 매일 아침 좋은 책을 읽고 좋은 글귀를 공유받으며 점점 부정적인 현실을 차단했다. 다른 쪽으로 관심을 돌려놓고 나니 팀의 분위기에 내 기분이 좌지우지되지 않았다.

앞으로 더 많은 상사를 만나게 될 것이고, 그 안에 지금보다 더 괴로움을 주는 사람이 있을 수도 있다. 상사뿐만이 아니라 후배 또한 그러지 않으리란 법이 없다. 살아가면서 피할 수 없는 관계에 문제가 생겼을 때, 지혜롭게 해결할 수 있는 나만의 돌파구를 찾아보는 것도 한 가지 방법이다. "피할 수 없으면 즐겨라!"라는 말이 있듯이 피할 수 없는

괴로운 일을 가지고 끙끙거리지 않고 몰입 할 수 있는 다른
일로 내 삶에 활력을 불어 넣어본다.

인생엔 즐거움이 있어야지

　오래 알고 지낸 언니가 오랜만에 만난 나에게 이렇게 이야기했다.

　"너는 볼 때마다 늘 즐거운 것 같아. 그리고 볼 때마다 새로운 걸 하고 있어. 신기해."

　언니의 말처럼 나는 무언가를 시도하고 새로운 것에 도전하는 걸 즐기는 편이다. 하고 싶은 일이 생겨 마음이 동하기 시작하면 꼭 해 봐야 한다. 이런 성격은 결국 나를 취미부자로 만들어 줬고 덕분에 소소하게 할 줄 아는 것들이 많아졌다. 하고 싶은 것을 하고 사는 사람의 삶은 즐거울 수밖에 없다. 이것이 내가 즐겁게 살 수 있는 이유이다.

　'즐기는 사람을 이길 순 없다.'라는 말이 있다. 최근 시작한 골프에서도 즐기는 것이 실력향상에도 이바지하는 것을 알 수 있었다. 골프를 배우기 시작한 초반에는 클럽으로 공을 맞히는 것만으로도 기분이 좋았다. 하지만 시간이 갈수록 연습량 대비 실력이 늘지 않아 괴로워졌다. 괴로움은 스트레스로 바뀌었고 연습 때마다 한숨을 쉬며 늘지 않는 내 실력을 한심하게 여겼다. 연습을 해도 해도 늘지 않는다고 언제쯤 잘 칠 수 있는 거냐며 친구에게 하소연을 늘어놓았다.

그런 마음으로 연습을 할수록 재미가 없어지고 내가 이걸 왜 하나 싶은 마음이 들었다. 곰곰이 앉아 생각해 보니, 나는 프로가 되려고 골프를 하는 것이 아닌데 병아리가 닭인 척했다. '나는 프로가 아니다. 즐기자.' 결론을 내고 성실히 연습했다. 그러자 스윙, 정확도, 비거리가 조금씩 나아지며 재미도 붙었고 즐기며 연습을 할 수 있었다. 필드에 나가서도 점수에 연연하기보다 푸릇푸릇 잔디를 밟는 느낌과 가끔 정확하게 공을 쳤을 때의 짜릿함을 즐길 수 있었다.

요즘 시대를 사는 사람들은 '워라밸 (work life balance)'을 중요시하며 일과 삶에서 균형을 잡으려고 무던히 노력한다. 각박한 사회에서 살아남기 위해서는 '해야 하는 일'에서 받은 스트레스를 '하고 싶은 일'을 하며 풀어내야 한다. 이때 필요한 것은 취미이다. 사람마다 성격이 다르듯 스트레스를 관리하는 방법 또한 가지각색이다. 맛있는 음식 먹기,

여행, 운동과 같은 동적인 것을 취미로 갖는 사람도 있고, 책 읽기, 잠자기, 영화 보기, 수공예 등의 정적인 취미를 즐기는 사람도 있다. 또는 나처럼 모두 다 해야 직성이 풀리는 사람도 있다. 무엇이 되었든 좋다. 시작은 전문가가 되려는 마음보다는 현실도피를 하는 정도로 즐기는 것이 좋다. 조금씩 실력이 늘어 어느 순간 전보다 나아진 나를 만나면 그때 프로의 길로 들어가면 되는 것이다.

즐거움은 스스로 선택할 수 있는 영역이라고 생각한다. 내가 지금 하는 것을 즐길 것인가, 꾸역꾸역 억지로 할 것인가. 이왕 하는 거 즐거운 마음으로 하자. 그러면 더 나은 결과물을 만들 수 있고, 성취감 또한 높아진다. 내가 성장하는 모습을 더 빠르게 만날 수 있는 방법이기도 하다. 정신적으로 힘든 일에 직면해 있다면, 내가 즐겁게 할 수 있는 일을 한 가지 챙기는 것이 좋다.

처음 도전한 에세이 쓰기는 나를 시련에 가둬 두기도 했지만 내가 이런 생각을 가지고 있는 사람이라는 것을 알게 되기도 했다. 나를 알아가는 일은 의미 있고 즐거운 일이었다. 잘하고 못하고는 중요한 것이 아니다. 시도했다는 것에는 큰 기쁨이 있고 자존감도 굳건해 진다.

나는 나의 선택대로 또 도전했고 즐거움을 느꼈다. 내가 행복하면 그것으로 된 것이다.

오히려 좋아

 나를 이리저리 흔들어 놓는 이 세상을 살아가기 위해서는 마음가짐이 중요하다. 어떤 상황에 닥쳤을 때 대응을 어떻게 하는지에 따라 결과가 달라지기 때문이다. 평소에 마음의 방향을 정해 놓고 단련을 시켜 놓으면 내가 감당하기 어려운 일에도 무던하게 넘어갈 수 있는 능력이 생긴다. 연습, 인생을 살아가는 것에도 연습이 필요한 이유이다.

 마시다 만 생수병을 책상 위에 두었는데 전화를 받으려다 툭 건드렸다. 뚜껑을 덜 닫았는지 물이 엎질러지고 책상 위에 놓여있던 물건들이 젖게 되었다. 책상 위에 휴지를 뽑아 엎질러진 물을 닦기 시작했다. 닦다 보니 물을 먹은 휴지가 먼지를 닦기 좋은 상태가 되어 이참에 책상 구석구석 닦아 보았다. "덕분에 책상이 깨끗해 졌네~"라고 말하고 보니 물을 엎기 전보다 모든 것이 더 좋아 보였다. '덕분에'라는 말에 힘이 느껴졌다. 분명 이것저것 젖어서 처리해야 하는 일이 늘어난 상황에 평소라면 짜증이 치밀어 올랐을 텐데 기분이 묘했다. 단어 하나로 나의 분위기가 달라졌다.

기분을 좋은 상태로 유지하게 되니 모든 일이 술술 풀렸다. 사람들과의 만남에도 즐거움이 가득했고, 오후만 되면 피곤한 상태였던 날들과 달리 퇴근길 발걸음도 가벼웠다. '덕분에' 덕분에 하루가 풍요로울 수 있었다. 생각의 전환이 나의 태도를 어떻게 바꾸는지 경험을 할 수 있었다.

"오히려 좋아!"

방송인들이 방송 중에 안 좋은 상황이 생겼을 때 좋게 받아들이자며 사용한 말인데 요즘은 사람들 사이에서 널리 쓰이고 있다. 올해 11살이 된 아들에게 그 말을 처음 들었을 때 너무 놀라 눈이 커졌었다. 인생을 11년 밖에 살지 않은 아이가 저런 기특한 생각을 하다니, 나보다 낫다며 머리를 쓰다듬어 준 적이 있다. 좋은 게 좋은 거라고 안 되는 일에 머리를 끙끙 싸매고 고민한다고 해결되지 않는다. 좀 더 넓은 마음과 시야를 가지고 지금 여기서 더 나은 방향으로 나갈 수 있는 관점을 가져야 한다. 이럴 때 필요한 능력이 긍정의 마음가짐이다.

긍정적인 마음을 유지하는 것은 참 어려운 일이다. 나도 여러 방법으로 노력을 해 보았다. 아침에 독서하며 마음에

드는 구절을 소리 내어 읽고 필사를 했다. 긍정 문구를 읽는 것으로 하루를 시작하면 하루를 힘 있게 살아낼 수 있었다. 또, 고명환 작가의 매일 아침 "아침 긍정 확언"영상을 보며 도움을 받았다. 출근길에 고명환 작가의 힘이 가득한 이야기와 오늘 하루를 내가 원하는 대로 만들 것이라는 확언을 들으면 덩달아 나도 긍정적인 하루를 시작할 수 있었다.

한 번에 모든 것을 바꾸려고 하면 포기하고 싶은 마음이 들기 마련이다. 생각부터 바꾸는 적은 노력을 해야 한다. 변화된 나를 상상하면서 "덕분에, 오히려 좋아!"를 외쳐본다.

그 사람이 싫은걸

세상에 싫어하는 사람 없는 사람 있으면 나와 보시라. 모두 마음에 좋은 사람과 싫은 사람을 가지고 있을 것이다. 살아가면서 내 마음에 쏙 드는 사람을 만나기는 어렵다. 심지어 자신조차 싫을 때가 있는데 타인이 어찌 그럴 수 있겠는가. 중요한 것은 그 사람들을 대하는 태도이다.

좋아하는 사람에겐 간이며 쓸개며 빼 줄 듯 행동한다. 불편한 건 없는지, 어떤 음식을 좋아하는지 살피고 좋은 것들을 주려 노력한다. 반면 싫어하는 사람에게는 어떻게 대해야 하는지 너무나 어렵다. 내 마음 내키는 대로 싫은 티를 팍팍 내며 '주변에 두고 싶지 않아!'를 온몸으로 표현하면 상대는 얼마나 큰 상심을 받을 것인가. 그렇다면 내가 싫어하는 사람이 상처받지 않도록 내 마음을 죽이고 참으며 살아야 하는가? 그것은 또 그것대로 나에게 너무나 고통스럽다. 이런 딜레마에 빠지면 스트레스를 받게 되고 차라리 상대를 모르던 시절로 돌아가면 좋겠다고 생각하게 된다.

태도는 관계와 맞물려 나이를 먹을수록 어렵게 느껴진다. 싫어하는 사람을 이해하려 노력할수록 싫은 구석이 늘어나는 경험을 해 보았을 것이다. 나는 성인이 되어 사회생활을 하면서 딱히 싫은 사람을 만난 적이 없었다. 그냥 좋은 사람과 아무 감정 없는 사람 둘로 나뉘었었는데, 최근 정말 오랜만에 학창 시절에 느꼈던 너무 싫은 사람을 만나게 되었다. 피할 수도 없게 매일 마주해야 했고, 없는 사람이라 생각할 수도 없는 상황이었다. 자꾸만 내 사적인 영역까지 침범하려는 그 사람이 너무나 끔찍했다.

친한 친구에게 전화를 걸어 내 마음을 털어놓았다.
"그 사람이 너무 싫어. 내 사적인 공간 안에서 빼버리고 싶은데 그럴 수 없는 현실이 너무 스트레스야."

친구는 내 말을 듣고 본인도 그런 경험이 있었다며 나를 위로해 주었다. 그 위로에 잠시 마음이 풀어지긴 했지만, 신기하게도 그 사람의 싫은 점을 친구에게 이야기할수록 더욱 싫어지는 느낌을 받았다. 그 감정이 나를 사로잡기 시작하니 걷잡을 수 없어졌다. 누군가를 싫어하는 마음이 생길 때는 어떻게 해야 하나 이런저런 책을 찾아 읽어보았지만 다들 너그러운 마음으로 이해하라는 말만 반복했다.

하지만 그 방법들로 해결되지 않았다. 그를 이해하는 데 소비하는 에너지가 너무 많았고, 그 노력 대비 감정이 나아지는 일은 없었다. 결국 내가 선택한 방법은 그 사람이 무슨 말과 행동을 하든지 감정의 단추는 꺼버리고, 이성의 단추를 눌러 옳고 그름 혹은 사실 판단만 하는 것이었다. 그리고 될 수 있으면 엮이지 말자는 것.

사람을 미워하는 일은 돌고 돌아 내가 '나쁜 사람인가?'로 여겨지게 되는데 절대 그렇지 않다. 세상에 무수히 많은 사람이 모두 나와 같을 수 없고 좋을 수도 없다. 하지만 싫은 사람에게 '난 널 미워해.', '난 널 증오해.'라고 말뿐만 아니라 행동으로 표현하는 것을 옳지 않다. 내가 좋아하는 사람과 좋아하는 것들에 더 관심을 두고 싫어하거나 미워하는 사람은 내 관심 안에 두지 말자. 우리는 좋아하는 것들을 챙기기에도 짧은 인생을 살고 있는 것이니까.

닮고 싶은 선인장

어떤 날은 끝없이 예민함에 빠져들 때가 있다. 그런 날은 뭐하나 거슬리지 않는 것이 없다. 슬리퍼 끄는 소리, 크게 이야기하는 소리, 돌아다니며 산만하게 하는 사람, 누군가와 이야기 중인데 불쑥 끼어들어 잘난 체하는 사람들로 예민함이 더해진다. 내가 이렇게 예민한 사람이었나 싶게 날카로운 기분이 드는 그런 날이다. 까칠까칠 툴툴거리는 내 모습은 꼭 뾰족뾰족 못난이 선인장 같다.

어렸을 적 마당에 둔 선인장 화분이 있는 쪽으로 넘어진 적이 있었다. 손에 선인장 가시가 잔뜩 박혀 그 뒤로는 선인장 근처에도 가지 않았다. 넘어져 무릎이 까진 것보다 손에 박힌 가시를 빼는 게 더 고통스럽고 아팠다. 어린 마음에 장미는 자신을 지키기 위해 가시가 있다지만, 선인장은 도대체 예쁘지도 않고 향기롭지도 않은데 어째서 가시를 온

몸에 두르고 있는 건지 이해가 되지 않았다. 선인장에 꽃이 피었다며 반가워하는 엄마의 말씀에도 시큰둥했다. "어디, 어디?"라며 예쁘지도 않은 선인장을 들여다보는 아빠의 말에도 내 엉덩이는 소파에서 떨어지지 않았다.

예민 레이더가 뱅글뱅글 돌던 어느 날, 까칠이 내 모습이 선인장을 닮았다고 생각하며 사무실 창가에 놓인 선인장을 가만히 보았다. 창가에는 해피트리, 동백, 선인장 등의 화분이 있었다. 하필 선인장은 해피트리 옆에 있었는데, 매끄럽고 동그란 잎이 풍성하게 달려 보는 사람 마음도 싱그럽게 해주는 해피트리 옆이라 그런지 더욱 외로워 보였다. 고독함. 살아 있기는 한 건지, 마치 겨울잠을 자려고 눈을 감고 귀를 닫고 있는 것 같은 모습이다.

넋을 놓고 선인장을 보다가 문득 내 생각이 잘못되었다고 느껴졌다. 주변의 모든 것들을 가까이 오지 못하게 만드는 선인장과 나의 예민함이 닮았다고 생각했던 건 큰 착각이었다. 선인장은 본래 넓은 잎을 가지고 있었으나 사막의 뜨거운 태양 아래에서 살아가기 위해 잎이 점점 좁아지다 가시로 변했다고 한다. 또, 줄기는 물을 더 많이 보유하기 위해 통통해졌다고 한다. 주어진 환경에서 살아가기 적합한 지금의 모습을 갖기 위해 억겁의 고통을 견딘 선인장이다. 표현할 수 없을 만큼 뜨거운 태양열과 척박한 모래땅에서 아픈 모래바람을 맞으며 모든 고통을 다 삼키며 견뎌낸 선인장에 대해서는 생각하지 못했다. 그저 겉모습이 예쁘지 않다고, 뾰족한 가시가 나를 위협하는 것 같다고 선인장을 못난이라고 여겼다.

《한 번이라도 끝까지 버텨본 적 있는가?》의 작가 웨이슈잉은 꿈을 이루기 위해서는 자신에게 주어진 환경을 적극적으로 받아들여야 하며, 인내와 끈기가 필요하다고 이야기한다. 내가 선인장을 보며 깨달은 그 말이다. 현실이 아무리 가혹하더라도 내가 변하겠다며 변한 선인장처럼 주도적으로 주변의 불편함에 맞춰 변할 수 있는 사람이 되고 싶다. 그래도 내가 사막 한가운데의 선인장보다는 좀 덜 힘들지 않을까. 나를 일으켜주는 책이 있고, 나를 움직이게 해주는 글쓰기가 있으니 말이다.

【좋은 책을 읽는 것은 수많은 고상한
사람과 대화를 나누는 것과 같다.】

괴테

【책은 가장 조용하고 변함없는 벗이다.
책은 가장 쉽게 다가갈 수 있고 가장
현명한 상담자이자, 가장 인내심이 있는
교사이다.】

찰스 앨리엇

4 장   너

어른이 될 수 있어

진로를 걱정하던 20대 초반. '30살에는 이런 걱정 없이 살 겠지.'라는 생각에 어서 안정적인 30대가 되면 좋겠다고 생각했다. 내 머릿속 미래의 나는 일도, 관계도, 경제적인 것들에도 흔들리지 않는 사람일 것이라 믿었다. 내가 그리는 어른의 모습을 위해 딱히 노력하는 것 없이 당연히 그렇게 될 줄 알았다.

성년이 된 지 20년이 되었지만 내가 어른다운 어른이 맞는지 늘 궁금하다. 어떻게 하면 좀 더 어른스러운 행동과 말을 할 수 있는가 생각하고 노력하지만 내가 하는 것들이 올바른지도 의문이다.

어린 시절 나에게 너무나 큰 어른인 아빠는 걱정도, 슬픔도, 고통도 없는 단단한 사람이라 생각했다. 아빠처럼 흔들리지 않는 어른이 진짜 어른이라고 생각했다. 내가 그 당시 아빠의 나이가 되어보니 아빠 같은 어른이 되는 것은 정말 어려운 일이라는 것을 알게 되었다.

몇 해 전 김장을 하기 위해 온 가족이 모였다. 우리 집은 김장을 배추 뽑기부터 하는데, 배추 담당은 아빠다. 전날 밤 소금에 절이고 새벽에 씻는 일까지 힘 있는 아빠의 몫이다. 그날 아침 늦게 일어난 나는 마당에서 맨손으로 배추를 건져내고 있는 아빠 옆에 앉았다.

"아빠- 아빠는 손 안 시리나봐. 하나도 안 시린 것 같아."

두툼한 아빠 손은 얼음장처럼 차가운 물에 담긴 배추를 건지는데 아무렇지 않아 보였다. 지금 생각해 보니 참 바보 같은 말이다. 어떻게 손이 시리지 않을 수 있을까. 내 말에 아빠는 허허 웃으시며 "시렵지."라고 하셨다. 아빠는 가족을 위해 지금까지 모든 일에서 참고 버텨 온 어른이었다.

어른은 모든 일에 있어서 쉽게 동요하지 말고 생각하고 행동해야 한다. 누군가에게 지금 네가 가는 길이 틀렸다고 이야기를 들었을 때도 흔들리지 말고 스스로 돌아보고 다시 결정을 내려야 한다. 그 결정은 자신의 신념을 담아 스스로 내려야 한다. 주변의 이야기에 이리저리 휩쓸리는 사람은 아직 아이라는 위치에서 벗어 나지 못한 것이다.
물론 주변 사람들의 충고와 조언을 깡그리 무시할 수는 없다. 제삼자의 관점에서 더 객관적인 판단을 내려 쉽게 갈 수 있는 길을 알려주기도 한다. 이 조언이 합당한지 제대로 파악하는 사람이 진정한 어른이다. 그러기 위해서는 독서 시간과 사유하는 시간을 많이 가져야 한다. 책 속에서 어른이 되는 길을 찾고, 나에 대해 더 많이 생각하며 고민해야 한다. 그런 시간을 통해 나를 이해하게 되면 어려움을 참아낼 수 있는 내공도 쌓여가고 세상에 흔들림이 적어지게 된다.

마흔을 앞둔 나는 여전히 관계에 상처받고, 기쁨을 느끼며 살고 있다. 여전히 '나는 뭘 하며 살아야 하지?'라는 질문에 명확한 답을 내지 못하며 지내지만, 10년 전의 나보다 훨씬 발전한 삶을 누리고 있는 것은 분명하다. 예전엔 나에 관해 좋지 않은 소리를 들으면 바르르 화를 내며 상대를 뭉개는 말로 되받아쳤었지만, 지금은 나를 좋아하지 않는 사람이 있을 수 있다고 생각한다. 상대가 그렇게 느낀 것은 나의 잘못이 분명히 있었을 것이다.

말과 행동을 조심하게 되며 생각을 많이 하는 것이 어른이 되는 과정이다. 그 과정은 외롭고 괴롭겠지만, 그 시간이 있어야 진정한 어른이 된다. 책을 읽고, 사유하며, 쓰기로 더 나은 어른이 되는 연습을 해야 한다. 어떤 역경에도 흔들리지 않고 참아낼 수 있는 단단한 어른이 되고 싶다.

하다 보면, 쓰다 보면

성공을 한 사람 중 다수는 자신이 특별히 잘나서 성공한 것이 아니라 인내와 끈기의 결과물이 성공의 열쇠라고 말한다. 그만큼 성공을 위해서는 인내하며 끝없이 노력하는 자세가 필요하다.

취업 준비를 할 때 자소서에 내가 자신 있게 소개했던 부분은 나의 인내심과 끈기였다. 하지만 지금에 와서 돌아보니 내 인생에서 목표를 위해 인내와 끈기를 갖고 노력했던 일이 별로 없다는 걸 알게 되었다. 그저 평범하게 물 흐르는 듯이 살아왔다. 내가 정한 목표를 이루기 위해 치열하고 피땀을 흘리는 노력 없이 살아온 것이다.

수능은 고3이어서 보는 시험이고 공부도 그냥저냥 적당히 하면 되는 줄 알았다. 고등학교 2학년, 친구를 잘 사귄 덕에 3학년 올라가기 전 겨울 공부를 시작했고 덕분에 지방의 국립대에 입학할 수 있었다. 조금 더 일찍 공부해야 하는 이유에 대해 알았더라면 좋았을 텐데 하는 아쉬움도 있었다. 하지만 그것도 잠시, 꿈꾸던 대학 생활의 달콤함에 빠져 신나게 놀기에 바빴다. 공부는 더 많은 선택지를 가질 수 있는 자격을 얻기 위해 해야 하는 것이었다. 그때는 그것도 모르고 어떻게든 되겠지 하는 마음으로 살았다.

나에게 늘 부족했던 점은 결과를 빠르게 얻고 싶어 했다는 것이다. 빨리 원하는 바를 이루지 못하면 참지 못하고 목표를 바꾸기 일쑤였다. 성공을 위해서는 오랫동안 꾸준히 실력을 갈고닦아야 한다는 것을 머리로는 알고 있지만 실천으로 이어지지 않았다. 내가 원하는 일의 전문가가 되겠다는 마음가짐을 가져야 한다. 이 과정이 지루하고 재미없고 쓸쓸할지라도 포기하지 말고 인내와 끈기를 가져야 한다는 것을 알면서도 하지 못했다. 목표를 향해 노력하는 일은 시간도 많이 필요로 하는데 그 사실을 인정하지 않았다.

주변을 둘러보면 원하는 바를 이루기 위해 다양한 시도를 하고, 온통 머릿속을 그것으로 가득 채우는 사람이 있다. 그의 하루는 대부분 원하는 것을 이루기 위한 스케줄로 짜여있다. 또한 끊임없이 노력하고 과정에서 실패를 해도 다시 시도하는 모습을 보여준다. 그동안 한 번의 시도와 한 번의 실패로 끝을 냈던 나의 목표들이 아쉬워진다.

최근 내가 꾸준히 하는 새벽 독서를 통해 찾아낸 나의 버킷리스트가 있다. 그중 '내 이름이 박힌 책 한 권을 세상에 내어 보기'가 있는데 그 책을 쓰기 위한 작은 목표 하나가 공저로 발간하는 에세이 쓰기였다. 쓰는 중간중간 포기 하고 싶은 마음도 여러 번이었지만 이번엔 인내와 끈기를 가지고 노력했다. 쓸수록 나의 한계에 닿는 기분이 들긴 하지만 한 꼭지를 쓴 뒤 느끼는 감정은 나를 성공의 문 앞으로 데려다준다. 이번엔 내가 원하는 것을 꼭 성공으로 연결해주는 끈기와 인내를 장착할 것이다.

 "쓰다 보면 더 나아질 거야. 첫술에 배부르랴. 시작이 반이다. 완벽보다 완성이 더 대단하다. 아무것도 하지 않으면 아무 일도 일어나지 않는다."
 그렇게 주문을 외우며 머리와 마음으로 주르륵 써 내려간다. 오늘도, 쓰다 보면 쓰게 될 것이라는 긍정과 실천을 더해 본다.

마음 닿기

 선 씨나 신애라 씨처럼 어려운 사람에게 도움을 주는 좋은
일을 많이 하는 사람들이 있다. 스스로 이겨낼 힘조차 내지
못하는 사람들을 위해 어떤 행동을 하면 좋을까 늘 고민하
는 분들이다.

 도움을 주는 일은 마음만으로 되지 않는다. 어려운 사람을
애틋하게 생각하는 마음만큼이나 시간과 돈도 필요하다. 그
래서 많은 사람들이 부자가 되면, 혹은 넉넉해지면 어려운
사람을 도와줄 거라 다짐한다. 나도 어렸을 적 구세군 냄비
에 성금을 내며 나중에 커서 부자가 되면 더 많은 돈을 성
금으로 내겠다는 마음을 먹었었다. 대학 시절엔 봉사를 다
니며 돈이 아니어도 도움을 줄 수 있다는 것을 알았고, 종
종 봉사해야겠다고 생각했지만, 지금은 하루를 내 시간과
아이 둘을 돌보는 시간, 3인분으로 살아가는 나에겐 뜬구름

잡는 이야기가 되었다. 내 안에 차고 넘쳐 주변을 돌보며 살고 싶은 내 마음과는 정반대로 하루를 버거워하며 보내고 있었다.

티브이에서 한겨울에 농막에서 할머니와 생활하는 어린아이 이야기를 본 적이 있다. 어려운 생활에도 해맑게 웃으며 할머니를 돕는 대견한 아이였다. 그런 후원 관련 영상을 보면 늘 후원 시도는 하는데 무엇이 문제였을까 번번이 마지막 단계에서 그치고 말았다.

뉴스에서 심심치 않게 들려오는 "후원금 부당 사용"에 관한 이야기들이 나를 주저하게 했다. 차라리 내가 고액의 후원금을 낸다면 직접 후원 시설을 정해 전달하면 될 테지만, 소액이다 보니 정말 이 돈이 꼭 필요한 그들에게 닿을까 하는 의심이 들었다. 후원자들이 낸 돈이 아이들에게 도움을 줄 수는 있는 걸까. 나쁜 어른들 때문에 보호받아야 할 아이들이 벼랑 끝으로 몰리는 세상에서 힘없는 내가 할 수 있는 것이 없다는 마음에 외면했었다.

나쁜 일에 가려져 뜻있는 일을 모르는 체하고 아무것도 하지 않고 있었다. 그러던 중 가족여행으로 간 경주에서 밥을 먹고 계산하려는데 카운터에 "제가 후원하는 아이예요"라고 쓰여있는 엽서가 보였다. 엽서에는 피 후원인의 사진이 있었는데 그것을 보고 '나는 왜 하지 못하는 것인가?'라는 생각이 들었다. 더 이상 더러움을 피하지 않기로 했다. 내가 하는 일이 옳은 일이고 어떤 길로든 내 마음이 닿을 것이라 여기기로 했다. 그러고 나니 당장 내가 할 수 있는 일은 월 2만 원의 후원이라는 사실을 깨닫게 되었다. '내가 보낸 돈 중 일부라도 좋은 일에 쓰이겠지, 더 지체하지 말자.' 오늘 생리대를 사지 못하는 아이가 지금 내 클릭 몇 번으로 생리대를 살 수 있다고 생각하니 그동안 내가 피한 날들이 너무나 미안했다.

내가 후원을 시작하는 것이 자랑스러워 글을 쓰는 것은 아니다. 세상에는 정말 다양한 방법으로 도움을 주는 사람들이 있다. 어려운 나라에 학교도 만들어 주고, 식수가 부족한 나라에 정수시설을 만들어주기도 한다. 고작 2만 원으로 누군가의 삶에 큰 보탬이 될 거라는 생각은 전혀 하지 않는다. 내가 후원금을 내고 있다는 것을 알리고 싶은 것도 아니다. 그저 피 후원인의 앞날을 응원하고 있다는 사실을 알리고 싶었다. 어딘가에서 그 힘들고 애달픈 삶을 응원하는 사람이 있다고 생각하며 옳은 사람으로 살길 바라는 마음이다.

가끔 유명인들이 큰 도움을 주고도 쉬쉬하며 지내다가 후일담 미화로 밝혀지는 경우가 종종 있다. 그들이 행한 일을 숨기지 말고 자랑스럽게 공개하면 좋겠다고 생각한다. 그들의 선한 영향력을 보고 따라 하는 사람이 많아지길 바라는 마음에서이다. 내가 하는 작은 후원도 이글을 읽은 누군가가 따라 해준다면 결국 내가 한 후원은 두 배가 되는 것이고 이 후원의 끝은 눈덩이처럼 불어나 있으리라 생각한다. 내가 경주의 어느 식당에서 느낀 것처럼 누군가는 내 글을 읽고 마음을 다하길 바라본다.

내가 나를 사랑해

 나이가 한 살씩 더해 갈 때마다 나의 단점이 하나씩 발견
되는 느낌이다. 그래서 점점 나에게 더 야박해진다. 책을
읽으면서 반성하고 되돌아보면 그동안 내 삶을 의지 없이
살아온 것 같아 마음이 아프다. 좀 더 소중하게 대하고 깊
이 생각했더라면 좋았을 텐데 하는 후회도 밀려온다. 사람
들과의 관계도, 내 꿈을 찾는 일도, 열정도 모두 아쉽다.

 글을 쓰면서 내 단점이 내 눈에 적나라하게 보이는 것이
정말 괴로웠다. 나는 왜 이렇게 속이 좁을까. 나는 왜 이렇
게 싫은 게 많을까. 나는 왜 이렇게 못됐나. 나에 대해 알
고 싶어 글을 쓰기 시작한 것이었는데 정작 내가 만난 나는
온갖 부정적인 것을 대표하는 사람이었다. 못난 나와 마주
하는 것이 고통스러워 함께하는 작업이 아니었다면 글쓰기

는 중도 포기했을 것이다. 내가 쓴 글을 읽고 또 읽을 때마다 이렇게 못난 사람이 쓴 글을 누가 읽고 싶어 하겠냐는 비관까지 덧붙여졌다. 나의 자존감이 바닥을 쳤다. 나도 마음에 들지 않고 주변도 마음에 들지 않는데, 그런 주변을 대하는 나의 태도가 또다시 마음에 들지 않았다.

친한 언니가 나에게 "너는 너한테 너무 야박해."라고 이야기했다. 얼마 전 공저 모임 단체 대화방에서 리더님도 나에게 똑같은 말씀을 하셨던 기억이 떠올랐다. 가만히 생각해 보니 나는 정말 나에게 야박하기 짝이 없었다. 누군가 실수에 시무룩 해져있을 때 나는 진심으로 그럴 수 있다고, 누구나 그럴 수 있다고 이야기한다. 하지만 내가 저지른 실수는 너무나 크게 느껴지고 스스로 용서하지 못했다. 내가 뭐 그렇게 큰 실수를 한 것도 아닌데 말이다.

많은 사람이 장점보다 단점에 더 관심이 많고, 단점을 고치려는데 노력을 많이 한다. 나도 그랬다. 내가 잘하는 일에 관심을 더 많이 주지 않고 나에게 부족한 면을 내가 원하는 모습으로 바꾸고 싶어 하며 괴로워한 시간이 많았다. 쇼펜하우어는 현실의 자신과 이상의 자신의 차이를 열등감이라고 표현했는데, 나는 그 열등감에 너무나 괴로웠다.

'스스로를 사랑하라'라는 말이 있다. 자신을 사랑하고 소중히 여기는 그 마음은 내 장점을 아끼고 관리를 하는 것이라 생각한다. 나의 장점을 소중히 여긴 적이 있었나? 그 질문에 대한 대답은 "NO"이다. 나보다 더 뛰어난 사람들이 있다는 생각에 내가 잘하는 것은 장점이라고 생각하지 않았다. 나를 사랑하고 소중히 다루는 방법을 몰랐다. 아무리 노래를 잘 부르는 가수라도 목소리를 아끼고 관리하지 않으면 그 실력이 줄어드는 것처럼 자신의 장점도 마찬가지다. 내가 잘하는 것을 더 갈고닦는 일은 자신을 더 사랑하는 방법이다.

자신을 사랑하면 타인을 이해하고 사랑할 수 있는 능력 또한 길러진다고 한다. 어릴 적 아끼던 작은 인형을 대하는 마음으로 자신을 대해보자. 그러면 더 풍요로운 삶을 살 수 있을 것이다.

오늘은 내가 가장 좋아하는 노래를 들려줘야겠다. 소중한 나에게.

자랑 말고 자랑스럽게

어릴 적 이웃집에 공부 잘하고 착한 자매가 살고 있었다. 소위 말하는 엄친딸 덕분에 속상한 적이 있었다. 그 자매의 어머니는 우리 엄마랑 친분이 있으셔서 두 분은 자주 어울리셨다. 한번은 엄마와 아주머니가 나누는 대화를 들은 적이 있었다.

"그 집 딸들은 어쩜 그렇게 공부를 잘해~?"
엄마의 부러움 섞인 말에 내 마음엔 쿵 하고 큰 돌덩이가 내려앉았다.

엄마는 공부해라, 공부해라 잔소리를 하시는 분은 아니었다. 때가 되면 할 것이라 믿으셨고 내 의견을 늘 지지해 주셨다. 그런 엄마가 부러움을 느끼는 것을 보니, 마음이 돌처럼 딱딱해지는 기분이었다. 철없는 나의 기분은 '엄마는 왜 내 자랑을 안 하는 거지? 나는 자랑거리가 없나?'였다.

최근 엄마가 오랜만에 서울 나들이를 다녀오셨다. 그간 서로 어떻게 지냈는지 안부를 묻는 것으로 시작해 그 시절 함께 키웠던 아이들의 소식까지 전하다 보면 어느새 집으로 돌아올 시간이라 매번 아쉽다고 하셨다. 이번에도 역시 만남은 눈 깜짝할 사이에 끝이 났고 돌아와서 나에게 그 소식을 전해 주셨다. 이집 저집 자녀들이 어떻게 지내고 있다는 자랑 아닌 자랑을 엄마에게 전해 들었다. 그 엄친딸의 소식도 빠짐이 없었는데, 여전히 잘살고 있다는 소식이었다. 그 친구의 이야기를 들으니, 이번엔 엄마도 내 자랑을 좀 하셨나? 하는 궁금증이 생겼다.

"엄마는 어떤 자랑 했어?"

"자랑? OO이 엄마가 OO이 때문에 힘들어하는데 자랑은 못하지. 우리 딸 자랑스럽지~ 그건 내 가 알지."

엄마는 양가 부모님 손을 빌리지 않고 일하며 두 아이를 살뜰히 키워나가는 내가 대견하다며 말해 뭐하나 하셨다. 자식 자랑하지 않는 엄마의 속마음을 이제야 알게 되었다. 다른 사람 기분이 서글퍼질까 봐 말씀을 아끼셨다. 내가 어려워하는 관계를 베테랑처럼 능숙하게 다루는 엄마가 자랑스러웠다. 또, 나를 자랑스러워하신다는 말씀은 든든하게 나를 받쳐주었고 더 잘살아야겠다는 마음을 갖게 했다.

엄마의 말씀을 듣고 보니 자랑하는 것보다 자랑스러워하는 것이 더 나은 방향이라고 생각된다. 보통 자랑을 하는 것은 마음속에 아쉬움이나 외로움 등의 부족함이 있을 때 그것을 감추고자 더 큰 것을 보여주는 그런 심리 아닐까. 하지만 자랑스러운 마음은 내 마음을 기쁨과 벅차오르는 행복으로 가득 채우는 긍정의 심리라 생각한다. 누군가가 나를 자랑스러워하면 나는 더욱 열심히 하려 노력할 것이고, 내가 누군가를 자랑스러워한다면 그 사람과의 관계가 더욱 돈독해질 수 있는 큰 힘이 되기 때문이다.

내가 아이를 낳아 키워보니 그 마음을 더욱 알 수 있게 되었다. 엄청나게 대단한 것을 하지 않아도 아이는 그 자체로 나에게 자랑스러운 사람이다. 첫걸음을 걸었을 때나 글자를 처음 읽었을 때 내 아이가 천재인가 싶게 대견하고 자랑스러웠다. 초등학교 입학식 날 조금 커 보이는 가방을 메고 교문 앞에서 씩 웃는 모습이 자랑스러웠다. 앞으로 더 많은 날을 나를 감격 시킬 것이라 기대한다. 우리 엄마에게도 나는 그런 자랑스러운 딸이었고 지금도 그러리라 생각한다.

나도 엄마를 닮아 그런지 어디 가서 내 아이 자랑을 늘어놓는 일은 어색하다. 그렇다고 자랑할 거리가 없다는 것은 아니다. 자랑을 늘어놓자면 밤을 새워도 다 하지 못할 정도로 훌륭한 아이이지만 그보다 더 대단한 것은 아이가 세상과 맞춰 살아가기 위해 성장하는 모습이다. 그런 모습이 너무나 자랑스럽다. 험한 세상에서 올곧고 단단하게 살아갈 아이의 삶을 응원하며 나 또한 자랑스러운 엄마가 되고 싶다.

5장 게으른 내가 책을 읽는다.

공감하는 감동

　서점의 진열대에는 다양한 분야의 여러 가지 책들이 진열되어 있다. 같은 제목의 책은 있지만, 같은 디자인의 표지는 보지 못했다. 책 표지만 봐도 작가의 개성이 드러나 책을 다 읽은 것 같이 느껴질 때도 있다. 나는 서점에서 책을 고를 때, 항상 손가락으로 책 표지를 쓱쓱 만져본다. 요즘은 책 표지에 질감을 넣어 출판한 책들이 있다. 약간 지우개 같은 느낌의 소재와 광택의 소재가 어울려진 책 표지가 있는데, 그 촉감이 너무 좋아 표지를 손바닥 전체로 쓱 만지고, 앞뒤를 비비듯 손을 대곤 한다. 나는 촉감으로 책을 먼저 만난다. 촉감이 좋은 책은 구매하고도 기분이 좋아진다.

　몇 년 전, 특별한 전시회를 관람했었다. 다른 일정이 있어 방문한 곳, 지하공간에서 전시가 있었다. 전시회에 입장하는 순간 관람객들은 모두 줄을 서서, 그림에 찰싹 붙어 손과 볼로 작품을 만지고 있었다. 입체적으로 그린 그림 작품을 촉감으로 관람하는 전시회였다. 처음 경험하는 광경이어서 감상하는 방법을 보고 놀라기도 했다. 일반적인 미술 전시회엔 얇은 줄로 작품과 관람객의 거리를 만들고, 작품에 손대지 말라고 써 놓는다. 그런데 실컷 만지고 느낄 수 있게 편하게 두었다. 시각장애인을 위한 전시회였다. 작가들도 만지고 감상할 수 있게 돕고 있었고, 주최하는 곳의 명함도 점자 명함이었다. 나도 작품을 만지면서 틀에 박힌 고정관념으로 만지면 안 되는 것을 만지는 것처럼, 어색하게 슬쩍슬쩍 만지며 감상했다. 감상하는 내내, 많은 여운이 남는 전시회였다.

방학 때 미술 숙제를 어머니와 함께했었다. 어머니는 손재주가 훌륭하셨다. 한번은 한지를 풀에 괴어 찰흙처럼 주물럭거려서 흰 도화지에 붙였다. 손엔 덕지덕지 한지와 풀이 엉겨 붙어 미끄덩한 느낌이었다. 그렇게 몇 번을 붙여서 멋진 산을 입체적으로 만들었다. 말린 뒤에는 수채화용 물감으로 산에 음영을 주고, 핀 꽃도 그리고 색칠하면서 작품을 완성했다. 나는 그 작품을 어머니의 최고 작품으로 좋아했었다. 전시회의 그림이 그 느낌이었다. 운 좋게 관람한 전시회에서 어머니와의 기분 좋은 추억이 생각났다.

전시회에 걸려 있는 입체적인 풍경작품과 점자 명함으로

경계 없는 소통을 느꼈다. 시각장애인들은 촉감으로 느끼는 첫 풍경화였을 것이다. 어떤 느낌일까? 상상하지 못하지만 서로 배려하는 마음은 느껴졌다. 작품을 보면서 촉감으로 자연을 보여 주기 위해, 작가는 얼마나 많은 생각과 고민하고 그림을 그렸을지, 작품에서 작가의 섬세한 마음이 보였다. 나의 눈이 배려와 공감의 세상을 볼 수 있어서 감사했다.

언제나 함께 할 수 있어

부끄러움이 많은 나는 요즘 말하는 MBTI의 'I' 성향으로
성장기를 보냈다. 수업 시간에 책을 낭독하라고 지목되면,
떨리고 불편한 목소리로 책을 읽었다. 내 목소리가 친구들
에게 어떻게 들려질까를 생각하며 걱정했다. 묵독 역시, 한
페이지 한 페이지 읽어 나갈수록 앞 페이지 내용은 잊어버
리기 일쑤였다. 나에게 책 읽기는 지루한 숙제처럼 여겨졌
다.

한동안 '책 부심'으로 책을 많이 사들였다. 책이 가득한
책장을 바라보면, 지적인 욕구를 채운 것처럼 흐뭇했다. 읽
지 않은 책들은 도서관에 유행 지난 오래된 책처럼 누렇게
바래져 먼지만 쌓여갔다. 바랜 책들은 책장 맨 위 칸이나
한쪽으로 밀려나고, 여유가 생긴 책장은 다시 유행하는 책
들로 채워졌다. 끼워질 자리가 없으면, 바랜 책을 골라 상
자에 담아 창고 쌓아 뒀다. 이렇게 선뜻 쉽게 버려지지 않

는 것이 책인 것 같다.

이런 책 사는 습관도 어릴 때 위인전과 같은 수십 권으로 이루어진 책들을 갖지 못했던 마음의 욕구를 채우는 방식이라 생각한다. '책 부심'으로 책을 사들이는 모습도 나의 한 부분으로 바라보니, 이제는 이해가 된다. 실컷 책을 사고 나니, 지금은 책을 읽고 소장해야 할 책만 남기고 나눔을 하거나 중고 서점에 되판다. 소유를 덜 하고 나니 공간에 여유가 생겨 마음이 가볍다.

쌓아 두던 책을 언제 읽게 되었을까? 인생엔 행복만 있을 거라는 낙관적인 삶만 기대하며 살던 시기가 있었다. 그러나 기대하지 않던 삶이 오고 상황을 바꾸어 보기 위해 책을 읽었다. 머릿속이 텅 빈 사발처럼 되니 오히려 잘 읽어졌다. 이런 시기에 책을 읽을 수 있는 돌파구가 있었던 건 행운과도 같았다. 책을 잘 고르면, 저자들이 살아온 이야기에서 인생의 기쁨과 슬픔을 발견할 수 있다. 그렇게 여러 삶을 들여다보면, 우연한 순간에 가슴 벅찬 깨달음을 얻게 되기도 한다.

책을 읽으면, 살아가는데 실수를 덜 할 수 있게 된다. 그러나 실수를 예측하고 줄여서 얻어내는 지름길도 있지만, 삶을 정면으로 돌파하는 것도 값진 것이다. 책을 읽지 않아도 잘 살 수 있기에, 읽지 않는 데에서 오는 죄책감을 느끼지 않길 바란다. 필요한 시기에 읽으면 충분하다. 또 책 한 권도 안 읽으면 어떠한가? 그래도 우리는 칭찬할 만큼 잘 살아왔다. 현실 속에서 행복을 느끼고 사는 것이 가장 중요하다. 어떤 것도 나의 행복보다 중요한 것은 없다. 책을 읽을 수 있을 만큼 읽고 기쁨을 느끼는 것이 책과 오래 할 수 있는 방법이다.

늦게 시작된 책 읽기지만 지금이 책 읽기에 딱 좋은 때라고 생각한다. '빠른 시기에 읽었으면, 더 많은 책을 읽을 수 있지 않을까?'라는 후회는 없다. 나의 방식으로 자유롭게 책을 읽는 지금이 지루하지 않게 책과 함께 할 수 있고 책으로 얻는 행복감을 더 많이 느끼고 있다. 편하게 살자. 인생은 내가 써 내려가는 책이다. 그러니 자유롭게 읽어 보아라. 어느새 내 삶에 책이 스며든 것을 느끼게 될 것이다.

나만의 세계가 있는 공간

 틈틈이 장소에 상관없이 책을 읽을 수 있는 사람은 집중력
이 좋은 사람이다. 나는 책에 집중하기 위해 요즘 흔히 하
는 카페 독서를 해보고, 산책하는 도중에 읽어도 보고, 또
조용한 나의 공간에서 책을 읽기도 했다.

 카페에서 독서할 때는 동네의 스타벅스는 다 가보았다. 작
은 카페보다 프랜차이즈 카페가 시선이 분산되어 눈치가 덜
보일 꺼라 생각하고 갔었다. 그런데 나와 같이 생각하는 사
람들이 많아서인지 항상 자리는 빼곡히 채워져 있었다. 숨
소리가 들릴 정도로 조용해서 카페에서 담소를 나누는 것이
어색할 정도였다. 한동안은 산책하던 도중 책을 읽었는데,
의외로 효과가 있었고 집중도 잘되었다. 새소리, 바람 소리,
나뭇잎 소리를 들으며 책을 읽으면, 마음을 너그럽게 해 주
었다. 가끔 산책 나오는 웰시코기와 친구가 되기도 했다.

어찌나 귀여운지 그 강아지를 만나기 위해, 강아지가 가는 동선에 앉아 책을 읽기도 했다. 자연과 함께하는 책 보기는 시간과 날씨에 제약이 있어, 꾸준히 이어질 수 없어서 아쉬웠다. 그래서인지 강이나 산이 있고 자연을 바라볼 수 있는 큰 창이 있는 공간을 마련하고 싶은 바람이 생겼다.

예전엔 대부분 주택에는 다락방이 있었다. 그땐 지금 다락방처럼 멋지게 꾸며진 쾌적한 다락방이 아니었다. 천장이 높은 다락방이 있던 집에 살았을 때는 서까래에 줄을 묶어 그네를 타기도 했다. 친구들이 오면 당연히 다락방으로 올라가 놀고, 혼날 일이 생기면 모두 다락방으로 숨었었다. 언니들과 함께 쓰던 방에는 가파르게 올라갈 수 있는 작은 다락방이 있었다. 한 사람 정도 누울 만한 공간에 등을 굽혀야 걸어 다닐 수 있었다. 책상에 앉아 기지개를 켜면 손이 천장에 닿을 듯 말 듯 했다. 그리고 바닥부터 무릎까지 높이에 창이 하나 있었다. 옆집은 피아노교습소였는데 다락방과 옆집의 거리는 2미터 남짓으로 가까웠다. 매일 피아노 소리를 따라 흥얼거리며 공부도 하고, 그림도 그리고, 비밀 일기를 쓰기도 했다. 언니들의 간섭을 피해 오르내리던 작은 다락방이 나의 세계처럼 편안했다.

습성은 변하지 않는지 내 공간에서 가장 집중이 잘된다. 나의 공간은 마음대로 흐트러져 있는 책, 낙서 된 메모들, 아주 낮게 조정해 불을 밝힐 수 있는 조명, 가끔 보면서 웃을 수 있는 나만의 컬렉션인 미니어처 인형들이 있다. 이 공간에선 늘어진 잠옷과 민낯도 허용된다. 나는 새벽에 일어나 눈만 비비고 물 한 잔을 먹고, 해가 뜨기 전까지 책상에 앉아 책을 읽는다. 이렇게 원초적으로 편안한 생태에서 읽을 때 집중이 잘된다.

 아이들은 작은 공간에 들어가 혼자 꼼지락거리길 좋아한다. 그곳에서 방해받지 않고 상상하고, 이야기를 만들고, 꿈을 그리다 잠이 든다. 기억을 잘 더듬어 보면 나만의 세계가 담겨 있는 추억의 공간들이 있을 것이다. 편안하면서 집중도가 높아지는 공간 말이다. 여러 공간에서 책 읽기를 시도해 보면 생각하지 못한 곳에서 책 읽기 좋은 나만의 명당을 발견할 수 있을 것이다.

책도 커간다

　디즈니 캐릭터와 같이 잘 그려진 동화책을 좋아한다. 나의 첫 가방은 어머니가 사주신 백설 공주와 일곱 난쟁이가 그려진 빨간색 가방이었다. 학교에 메고 간 첫날, 개구쟁이 남자아이가 그림 부분을 칼로 그어버렸다. 백설 공주 그림이 잘려져, 가방을 메는 내내 속상했었던 기억이 있다. 어릴 때 다녔던 피아노 집은 빨간 벽돌로 지어진 3층 집들이 모여 있는 깨끗하게 잘 정비된 잘 사는 동네에 있었다. 피아노 집엔, 선생님의 여섯 살쯤 된 조카가 있었는데, 그 아이가 읽는 예쁜 공주들이 나오는 디즈니 동화책이 항상 방바닥에 흐트러져 있었다. 어린 마음에 디즈니 동화를 읽고 싶어서 교습 시간보다 일찍 갔었던 생각이 난다. 지금도 알록달록한 색감의 디즈니 동화를 보면, 나도 모르게 미소 지어지고 기분이 좋아진다.

그 후로 어떤 책을 좋아했는지 잘 기억나지 않는다. 그저 두꺼운 《탈무드》 한 권을 옆에 두고 앞부분만 반복해서 읽었을 테고 그 시절 필독서였던 《갈매기의 꿈》《나의 라임 오렌지 나무》 정도를 읽었었을 것이다. 한때는 밀란 쿤데라의 책을 좋아했다. 《참을 수 없는 존재의 가벼움》 제목만으로 울림을 주어서인지 설레며 책을 집어 들었던 기억이 있다. 그 후로 밀란 쿤데라의 작품을 계속 구매했다. 가족이 아팠을 땐, 기적을 바라듯이 뇌 가소성에 관한 책을 읽었고, 상처받은 마음을 위해서는 마음을 치유해 주는 책을 읽었다. 삶이 안정되어 갈 때 자기계발서를 읽었다. 시기적으로 어떤 상황이었냐에 따라 읽는 분야가 확장되어 갔다.

각자 읽고 싶은 분야의 책들이 있을 것이다. 그런데 책도 유행이 있다. 유행하는 책들은 SNS에 많이 보이며 읽지 않으면 안 될 것 같이 분위기를 만든다. 그러면 미끼에 걸려든 물고기처럼 책을 구매하게 된다. 그러다 보면 읽고 싶은 책은 뒤로 미뤄지게 된다. 유행에 맞춰 구매하고 쌓여가는 책을 보면 언제 읽나 불안해지기도 한다. 이런 시행착오 덕분에 지금은 내가 읽고 싶은 책부터 우선 읽는다. 읽고 싶은 분야의 책을 충분히 읽고, 지루해질 정도가 되면 베스트셀러 책을 한 권 정도 읽는다.

가끔은 인생의 책을 만날 때도 있다. 내가 감명받은 글이

다른 사람에게는 그냥 평범한 글일 수도 있지만, 다양한 책을 읽으면, 내면 깊은 곳에 감추어둔 한곳과 일치되면서 가슴 울리는 책을 만나게 된다. 그런 인생의 책을 만나면, 마음이 풀리듯 가벼워지는 걸 느끼게 된다. 나도 그렇게 후련한 느낌을 받는 책을 요즘 많이 만나고 있다. 책을 읽는 것 말고도 자기만의 방식으로 자유롭게 성장하는 사람들이 있다. 요즘, 내가 가장 부러운 사람들은 여행을 통해 성장하는 사람들이다. 또 '취미 부자'라는 말도 있다. 이렇게 각자의 방식대로 성장하면 된다. 어떤 선택이든, 나의 선택을 존중하자.

할 수 있는 만큼만 편안하게

관심 있는 분야는 다 다르다. 농담으로 '이과냐?, 문과냐?'로 적성을 말할 때도 있고, 성격으로 좋아하는 분야를 나누기도 한다. 그런데 이 사회에 속해 있다는 걸 증명해야 하는 것처럼, 같은 책을 읽고 이야기한다. 모든 사람이 같은 주제로 삶이 펼쳐지진 않고, 드라마 대본처럼 묶여 있는 삶의 시나리오가 있는 것도 아닌데 말이다.

요즘은 책을 쉽게 추천받을 수 있는 곳이 SNS와 유튜브이다. 설득력 있게 책을 추천해 주기 때문에, 성공한 사람들이 어떤 책을 읽고 성공했는지 쉽게 알 수 있다. 그리고 성공한 사람들은 책을 천 권 읽고, 만권 읽고 성공했다고 말한다. 각자의 분야에서 성공한 사람들은 엄청난 독서량을 자랑한다. 그들처럼 책을 읽고 성공하려면, 얼마나 시간이 걸린다는 이야기인가! '뱁새가 황새 쫓아가다 가랑이가 찢

어진다.'라는 말도 있듯이, 성공도 하기 전에 만권의 책을 읽지 못하는 불안감에 먼저 휩싸이게 된다.

책 읽는 속도가 느린 내가 800페이지나 되는 책을 읽은 적이 있었다. 앤서니 로빈스의 《네 안의 잠든 거인은 깨워라》이다. 800페이지나 되는 책을 한 달 동안 읽은 것으로 기억한다. 한 달 동안 책을 읽어서, 다 읽었을 때쯤에는 앞부분 내용은 거의 기억하지 못했다. '성공하려면 열정 이상의 용기와 독한 끈기가 있어야 한다.'라는 교훈의 느낌은 남아 있다. 유튜버가 추천하는 성공한 사람들이 읽었다는 책들을 수십 권 사고 읽었다. 그 책들을 읽은 나는 그들처럼 성공했을까? 또 성공 못 했다면 실패자일까? 그 책을 읽지 않은 사람들은 성공하지 못하는 걸까?

SNS와 유튜브가 활성화되지 않았을 때는 책을 추천해 주는 다양한 TV 프로그램이 있었다. 지금은 공중파 방송에서 책을 주제로 하는 프로그램을 찾기 힘들어졌다. 인플루언서들이 추천하는 책에 관심이 높아졌고, 서로 경쟁하듯 읽은 책을 인증하고 있다. 책들이 홍수처럼 쏟아져 나오는 지금이 오히려 책을 선택하는 폭이 더 좁아진 것 같다. 인플루언서들이 책을 선택하는 것에도 영향을 주기 때문이다.

나의 독서력으로 천 권 읽으려면, 한 달에 8권씩 10년 넘게 읽어야 한다. 만권을 읽으려면 얼마나 시간이 걸릴지 생각만 해도 아찔하다. 한 달에 한 권 읽으면 어떻겠나. 또 성공에 관한 책을 읽고 성공 못하면 어떻겠나 그냥 내 방식대로 읽어 가면 된다. 책을 많이 읽어서 기쁘면 되고, 또 책을 읽을 수 있을 만큼 읽어서 행복하면 되는 것 아닌가.

우리는 너무 많은 경쟁을 하면서 산다. 책 읽는 사적인 시간도 보여 주기 위해 책을 읽는 어리석은 짓은 하지 않았으면 한다. 내가 읽을 수 있는 만큼 좋아하는 책을 읽어 나에게 도움이 되고, 그로 인해 생각의 폭이 넓어지고, 그것이 타인을 돕는 쪽으로 발전하게 된다면 이것도 다른 방식의 성공일 것이다.

깨닫기

 나는 지구력이 훌륭하지 않다. 흥미를 빨리 잃고, 성과가 없으면 오랫동안 지속하지 못한다. 그래서 나의 일 처리 방법은 싫증 나기 전에 빨리 끝내는 것이다. 이런 내가 다독하지 않지만, 몇 년째 꾸준히 책을 읽고 있다. 늦게나마 책에 재미가 생겼나 보다.

 어릴 적에 속독법이라는 독서 방법이 유행한 적이 있었다. TV나 신문에서 속독법을 설명해 줬고, 학부모 사이에서 열풍이 불었었다. 속독법은 말 그대로 책을 빨리 읽는 방법이다. 부모님께서는 고학년인 큰언니에게 속독법을 가르치셨다. 그걸 옆에서 지켜본 나는 문장의 '첫 단어'와 '끝 단어'를 읽으며 속독법을 흉내 냈었다. 아주 잘하는 척하며, 책한 권을 마구 넘기고 만족했었다. 책에 재미를 느끼지 못하던 나에게 속독법은 흥미로운 독서 방법이자, 독서 이벤트

같았다. 그렇지만 속독법으로 책 한 권도 제대로 이해하지 못했던 것으로 기억이 된다. 속도를 내어 많은 책을 읽고 싶은 마음도 있지만, 빠른 독서는 그저 활자가 눈앞을 스쳐 지나갈 뿐이다. 내 속도대로 읽는 것이 편하고 집중도 잘된다.

고른 책이 재미없으면 서론을 읽다 덮어 버릴 때도 있다. 그렇지만 책을 꾸준히 고르고 있다. 구매한 책을 읽어야 한다는 무의식적으로 부담이 있어, 쌓여가는 책이 짐이 되지 않게 가끔 읽으려고 시도는 한다. 어떨 땐, 읽어지지 않던 책이 새로운 느낌으로 술술 잘 읽어질 때가 있다. 그때가 그 책을 읽을 때인가 한다.

독서를 즐겨하지 않았지만, 힘든 시기에 좋아하는 분야의 책을 읽으면서 나를 이해하게 되었다. 그리고 장점을 찾아낼 수 있었고 지금은 세상으로 나를 끌어내고 있다. 간절하게 어려운 상황에서 벗어나고 싶을 때가 있을 것이다. 간절함이 사무칠 때, 법정 스님의 책을 읽어 보면, 존재함에 소유하고 있는 것이 분명히 있을 것이다. 생명, 사람, 소중한 추억들 책이 모든 일에 해결책이 아닐 수도 있다. 그러나 책을 읽으면 나의 이상 속에서 바라던 스승도 만나게 될 수 있다.

6장 게으르게 흐트러진 삶

어디부터 시작해야 하지?

　나는 책을 깊게 느끼면서 읽었던 두 번의 시기가 있었다. 모든 일이 풀리지 않고 수렁으로 빨려 들어가듯 한꺼번에 엄청난 시련이 왔었던 시기가 있었다. 그땐, 하루하루를 우울과 공상으로 보냈다. 꼭 필요한 일 아니면 집 밖을 나가지 않았다. 마음은 항상 롤러코스터를 타듯 불안했다.

　내가 수렁에 빠졌을 때 온 세상은 바이러스가 퍼지듯 '인생의 버킷리스트'가 유행하고 있었다. 영화도 《버킷리스트》라는 미국영화가 개봉되었고, 론다 번의 《시크릿》이 베스트셀러로 인기를 끌고 있었다. 나도 바이러스에 감염되듯, 영화를 보았고 책도 읽었다. 그리고 버킷리스트를 써 내려갔었다. 10가지 정도 적었던 것으로 기억한다. 할 수 있는 것부터 열심히 줄을 그어가며 실행했었다.

버킷리스트를 실천하기 위해서는 밖으로 나가는 게 우선이었다. 가까운 문화센터에 여러 강좌를 등록했고, 접수창구에서 대여해주는 백 여권쯤 되는 책을 빌려 읽었다. 그때 유행하던 책들이 그곳에 다 있었다. 《꿈꾸는 다락방》《무지개 원리》《시크릿》 읽으면서 작은 노트에 감명 깊은 문장을 필사했고, 노트 한 권 정도를 채웠었다. 또 목표를 이미지로 형상화하는 '비전 보드'도 만들어 보았다. 지금 생각해 보면, 정말 간절하게 그 상황에서 벗어나고 싶었었나 보다.

그때쯤엔, 블로그에 일상을 공유하는 것도 유행이었다. 한 블로그에서 줄리아 카메론의 《아티스트 웨이》를 추천하는 글을 보게 되었다. 그 책을 읽고, 12주 동안 새벽 5시에 일어나 모닝 페이지를 썼었다. 글을 써 가는 시간만큼은 오롯이 혼자서 나를 비워 가는 시간이었다. 3개월 동안, 새벽 5시에 일어나 하루에 노트 3페이지를 글로 채워 가는 것이 쉽지 않았다. 빠지지 않고 3개월을 해냈다는 것만으로 작은 성취감을 느끼게 해주었다. 줄리아 카메론의 《아티스트 웨이》는 지금도 인기가 있는 것으로 안다. 무엇을 해야 할지 모르고 시간을 흘려보내는 분들에게 이 책을 추천한다. 요즘은 온라인으로 함께 모닝 페이지를 쓰는 모임도 있다고 한다. 혼자 할 때보다 같이하면 어렵지 않을 것이다. 일기를 쓰듯 모닝 페이지를 쓰면 과거와 현재를 정리해 보는 것에 도움이 된다. 작은 성취감을 여러 번 느끼면 어떤 일이든 도전할 힘이 생겨난다.

 잔잔한 삶일 줄 알았는데 두 번째 시련이 왔다. 다시 최저
점에 내가 있었다. 그때 떠 오른 것은 '간절히 바라면 이루
어진다.'라는 말이었다. 《시크릿》과 같은 부류의 책들을
보면서, 희망에 최면을 다시 걸 수 있을 것이라는 생각했
다. 첫 번째 시련에서 어떻게든 시간은 지나가는 것을 경험
했었다. 후회할 시간에 작은 성취감을 느끼게 되면 에너지
가 회복할 수 있다는 것을 알았기 때문에 빨리 방향을 잡을
수 있었다.

 요즘은 자기 계발에 관한 콘텐츠를 다루는 유튜버들이 많
아졌다. 그런 유튜브를 시청하고 유튜버가 추천해 주는 책
을 사서 읽었다. 밑줄 팍팍 치고 읽은 책들은 쌓여만 갔다.
다시 일어서야 한다는 신념이 강한 만큼 책은 늘어갔다. 책
에서 성공하려면 5시에 일어나야 하고, 부자의 생각을 배워
야 하고, 부자인 척 망각도 해야 한다고 했다. 책에서 가르
치는 성공의 규칙은 많기도 했다. 그릇을 키우기도 전에 작
은 그릇에 주워 담기만 해서 벅차기도 했다. 이것도 해보니
까 알 수 있는 경험이려니 한다. 무엇을 해야 할지 망설일
때는 해보는 것이 낫다고 말한다. 해보고 나면 그것이 좋은
것인지 아닌지 판가름하게 되기 때문이다.

 운이 좋게 힘든 시기마다 독서를 할 수 있는 시간이 주어

졌다. 이런 시간이 주어지지 않은 사람에 비하면 감사한 삶
이다. 간절히 바라면 이루어진다는 걸 배운 것도 책이었고,
간절함을 실행해야 이루어진다는 것을 일깨워 주는 것도 책
이었다. 시간이 지난 지금은 간절함보다 긍정의 에너지를
만드는 것이 더 중요하다는 것도 책을 읽어가면서 알게 되
었다.

살아가면서 기도하고 싶은 정도의 간절함이 찾아올 때가
있을 것이다. 그때, 삶의 끝을 바라보면서 원하고 해보고
싶었던 것들을 하나씩 해보면, 삶이 다시 흐르게 될 것이
다.

날뛰는 생각 잠재우기

그동안 겪었던 일들로 지속적인 스트레스를 받았다. 몸은 응급상황처럼 예민한 반응을 보였다. 빠르게 쿵쾅대는 심장 소리를 들으며 잠이 들고, 곰돌이 두 마리를 어깨에 얹고 사는 사람처럼 늘 피곤했다. 부정적인 생각들로 머릿속은 혼돈이었고, 집중력은 떨어졌었다. 힘든 시기엔 옆에 아무도 없는 것 같고, 무인도에 갇힌 채로 살아가는 느낌일 것이다. 그런데 무인도에서 탈출할 것인가? 아니면 그곳에 남아 있을지는 각자의 몫이다.

한동안 희망의 확언과 감사 일기를 쓰는 것이 유행이었다. 세상은 각자 자신을 위한 확언 기도로 가득 차 있었다. 농담으로 확언 기도가 들릴 정도로 모두 확언에 집중하고 있었다. 불안한 마음을 잠재우려 매일매일 나를 위한 확언을 써 내려갔었다. 그리고 확언으로 노트 몇 권을 채웠다.

큰 꿈의 확언도 있었고, 실행이 가능한 확언도 있었다. 확언을 계속해서 쓰던 중 사람들이 사는 모습을 보고 싶어 가까운 카페로 갔었다. 서로 도란도란 이야기를 나누고, 또 누군가는 열심히 리포트를 작성하고, 각자만의 시간을 보내면서 집중하고 있었다. 나는 책을 탁자 위에 놓고 창밖에 걸어가는 사람, 지나가는 자동차, 바람에 흔들리는 나무를 구경했다. 그렇게 한 달 동안 출근하듯이 카페에 갔었다. 매일 있던 공간이 아닌 불편한 공간에 있어 보는 것만으로도 생각이 전환되었다.

해결되지 않는 일로 시간만 흘려보내고 있을 때 먼저 길을 지나간 사람들을 흉내 내는 것도 좋은 방법이다. 난 그냥 책을 따라 했다. 책에서 확언을 쓰라면 썼다, 장소를 바꿔보라면 장소를 바꿨다. 그리고 새벽에 일어나라면 일어났다. 내 생각에 토를 달지 않고 할 수 있는 만큼 했다. 그러다 보니 원하는 것과 원하지 않는 것을 차츰 알게 되었다. 지금은 기분이 좋아지는 것만 선택해서 한다. '어떻게 좋아하는 것만 할 수 있을까?'라고 생각할 수도 있다. 그러나 힘든 상황을 잘 버티는 방법은 이기적이지만 나를 위하는 선택만 하는 것이다. 하기 싫은 것을 하면서 스트레스받고 괴로워하는 것보다, 하고 싶은 것만 하면서 에너지를 충전하는 것이 힘든 상황을 회복하는데 좋은 방법이다.

성공에 관한 자기계발서는 몇 권만 읽으면, 거의 비슷하다. 마음이 안정되지 않은 상태에서 자기계발서를 읽게 되면 상황에서 빨리 벗어나고 싶은 마음에 욕심이 생기고 서두르게 된다. 공감할 수 있어야 즐거울 텐데, '저자처럼 될 수 있을까?' 하는 불안한 마음이 먼저 생겨날 수도 있다. 그러니 성공에 관한 자기계발서를 읽을 때는 완급 조절이 필요하다. 무엇이든 꾸준히 하는 것을 이길 것이 없다. 지치지 않고 꾸준히 할 수 있는 방법을 찾아야 한다.

나는 한 달에 한 번 독서 모임에 참여하고 있다. 한 달에 한 권은 모임 추천 책을 읽고, 나머지 시간에는 읽고 싶은 책을 읽는다. 좋아하는 책을 마음껏 읽을 수 있다는 것에서 오는 행복감은 매우 크다. 독서 모임에서 읽는 책들은 삶의 균형을 위해 읽는다. 그것이 없으면 난 한 없이 마음을 치유하는 책만 읽으면서, 나를 책 속에 숨겨 버렸을 것이다. 여러 사람과 함께하는 독서 모임이 현실 속에 발을 딛게 해 주는 좋은 역할을 하고 있다. 삶에는 항상 적당한 균형이 필요하다. 균형이 깨지면 원치 않은 방향으로 흐르고, 다시 길 잃은 자신을 발견할 수도 있다.

인생 짧다고 인생 선배들은 말한다. 이쯤 살아 보니, 인생 정말 빠르게 흐른다. 목표 없이 그냥 흘려보낸 시간도 참 많았다. 또 지금 가는 길이 옳은지 확인받기 위해 바쁘게 보내기도 했다. 모두 내 삶이었기에 소중하다. 삶을 완성해 가는 길은 다 다르다. 마음속에 불안을 조금씩 안고 있지만, 각자의 행복을 확인하기 위해 열심히 살아가고 있다.

고요함을 느껴봐

아버지는 30년 동안 꾸준히 새벽 5시에 일어나셔서 명상하셨다. 정적이며 지루한 행동을 오랫동안 해오시는지 이해하지 못했다. 아버지는 큰일에도 동요하시는 법이 없으셨다. 늘 비슷한 상태로 모든 일을 덤덤하게 대하셨다. 화를 내시지도 크게 즐거워하시지도 않으셨다. 감정이 늘 한결같으신지 이해할 수 없을 때도 있었다. 지금 생각해 보니, 아마 아버지도 많은 번뇌에 시달리시며 스스로 찾은 평정이었을 것이다. 마음을 단단하게 하려면, 내면에서 평정을 찾아야 편안함이 오래 지속될 수 있다.

나도 마음의 평정을 위해 명상을 시작했다. 새벽의 고요함을 오롯이 느끼며, 5년여 동안 명상을 해왔다. 처음엔 명상을 어떻게 해야 할지 몰라서 무작정 유튜브를 켜 놓고 시작했다. 그리고 꾸준히 하기 위해 명상 앱을 통해서 명상했다. 하루도 **빼놓지** 않고 2년 동안 명상하니, 호흡만으로도 마음을 잔잔하게 할 수 있다는 것을 알게 되었다.

잠에서 깨어, 잔잔한 명상음악으로 아침을 시작하면, 하루를 살아갈 수 있는 에너지가 생겨난다. 그렇게 2년쯤을 명상하던 중, 읽었던 책이 있었다. 엔디 퍼디켐의 《당신에게 명상이 필요할 때》라는 책이다. 명상을 잘하고 있는지 의문점도 많은 시기였고, 또 가족의 죽음으로 상실감이 컸던 시기였다. 책의 저자는 스님이다. 인도여행 중, '조시'라는 사람과 만나는 내용이 있었다. 조시는 석 달 동안, 아이들과 아내, 장모를 잃고, 마지막으로 아버지를 잃었다. 그리고 명상을 시작했다는 내용이다. 나는 명상을 하는 저자와 또 저자가 만난 조시를 가슴으로 만나고 눈물을 흘렸었다. 책을 읽고 눈물을 흘린 것은 처음으로 기억된다. 나와 같은 일을 겪은 사람이 세상에 또 있다는 것만으로도 공감되어 슬픔이 줄어들었다.

그 후로, 몇 권의 명상에 관한 책을 더 읽었다. 명상 책을 읽으면서, 초보 명상가가 글로 명상을 배우기가 어렵다는 것을 알았다. 그렇지만 스스로 평정을 찾으려는 저자들의 삶을 간접 경험하며, 마음 깊은 곳에서 울림이 느껴졌다. 저자들은 여러 사연으로 명상을 시작하였다. 그리고 명상으로 마음의 평정을 찾고, 새로운 길을 가고 있었다. 그들 모두 가장 낮은 마음의 상태에서 삶을 이어가기 위한 해법으로 명상을 시작했다는 공통점이 있었다.

아직도 나는 명상을 잘하는지 모르겠지만, 나만의 방법으로 요동치는 마음을 가라앉히고 있다. 명상하는 상태라 해서 딴생각을 안 하고, 텅 빈 상태가 유지되지는 것은 아니다. 명상 중, 나도 모르는 사이에 스펀지에 물이 흡수되는 것처럼 빠른 순간에 딴생각이 들어온다. 그럴 때, 빨리 알아차리고, 호흡에 집중하는 것도 좋다. 집중하기 어려우면, 명상음악의 리듬을 타면서 음악에 집중하는 것도 좋다. 요즘 나는 명상에 집중이 되지 않을 때, 싱잉볼 연주를 듣는다. 싱잉볼 소리에 맞춰 명상하다 갑자기 들어오는 딴생각을 알아차리게 된다. 그러면 볼 소리가 울릴 때, 상념이 흩어지고 다시 호흡으로 돌아가게 된다.

우리는 살아 있는 걸 증명하나 하듯이 끊임없이 생각한다. 나를 위한 생각이면 좋겠지만, 대부분의 공상은 불안에서 오는 과거의 자책과 미래의 두려움이다. 요즘은 고요하기 힘든 세상이어서 스스로 고요함을 찾아야만 고요해질 수 있다. 예전엔 마루나 마당에 가만히 앉아 온몸으로 따사로운 햇살과 바람을 맞으면서 편안함도 많이 느꼈었다. 지금 생각해 보면, 그 행동 자체가 명상하는 것과 같은 느낌이었다. 세상이 고요하지 않은들 어떠하겠나, 스스로 고요하게 만들면 된다. 멈추고 고요해질 때, 나의 숨도 느껴지며 살아 있다는 벅찬 감정을 느끼게 된다. 사소한 일에 동요되지 않는 편안한 상태를 의식적으로라도 만들어 보자. 습관이 되면 삶이 더 평화롭게 될 것이다.

마음이 흐르게

'내가 나한테 친절해야 다른 사람도 나에게 친절하게 대한다.'라는 말이 있다. 나에게 친절 하려면 우선 나에게 관대해져야 한다. 요즘같이 SNS 활동이 활발해져 부러운 것이 많은 사회에서 편히 나에게 관대하게 대할까는 많은 생각을 하게 한다. 책을 만권 읽고 성공했다는 이야기, 새벽 5시에 일어나야 성공한다는 이야기, 식스팩을 만들어 보디 프로필에 성공했다는 이야기 등 꼭 그렇게 하지 못한 삶의 이야기는 심심한 인생같이 보이게 만드니 말이다.

나와 함께하는 법을 알기 위해서 심리와 마음 치유에 관한 책들을 빼놓지 않고 읽었다. 그렇게 하지 않으면, 부정적인 생각에 옭매어질지 두려웠기 때문이다. 그래서 마음을 위한 약을 먹듯이, 책을 처방해 가며 읽었다. 그리고 시간을 쪼개서 열심히 살아 성공하는 사람들과 같은 방식으로 살지 못할 바에는 '꼭 그렇게 되지 않아도 된다.'라는 말로 느슨함을 받아들이고 있다. 자신을 이해하고 보살피지 못하면, 삶은 이끌어지지 않는다. 그러니 평생 나와 함께 하기 위해서는 자신에게 관대해지는 방법을 찾아야 한다. 내가 존재하지 않으면, 세상도 존재하지 않기 때문이다.

나는 하루아침에 식물인간이 되신 아버지를 4년 동안 모셨다. 24시간 동안 혼자 돌보면서 혼돈과 혼란의 연속이었다. 1년째는 삶을 원망했고, 2년째는 상황에 적응하려 노력했었다. 3년째는 간절히 바라던 것이 희망이 없음을 알게 되었고, 4년째는 변화되지 않는 삶이 두려워 무너졌었다. 현실을 받아들이지 못하고, 모든 시간을 괴로움으로 지냈었다.

두려움이 몰아쳤던 삶도 끝을 맺었다. 아버지가 돌아가신 후, 한 달 동안 꼬박 잠만 잤다. 그렇게 쉬고 나면, 4년 동안 아버지를 돌보면서 느꼈던 내적 갈등이 사라질 줄 알았다. 하지만 직업을 잃은 사람처럼 현실이 눈앞에 보였다. 어차피 겪어야 하는 일들을 받아들이지 못하고, 마음속으로 강하게 거부하고 있었기 때문에 힘든 시기였다. 쓸데없는 경험은 없다고 했는데 현실 앞에서 이론적인 말이 위로되지 않았다. 누군가가 나에게 물었다. "아버지를 모시면서 내적 성장이 일어나지 않았느냐고?" 그 순간엔 그런 미사여구에 대답할 적당한 말도 생각하기 싫었다.

인생에 한 가지 고비가 있으면 그다음은 행복으로만 인생이 펼쳐질 줄 알았다. 정말 단순하고 해맑은 생각이었다. 누구나 그러하지 않겠지만, 인생은 불행이 오면 행복한 삶만 오는 것이 아니라 견딜 수 있는 삶이 온다. 그러다 행복을 다시 만날 때도 오는 것이다.

'주먹을 펴다.' 요즘 자주 생각하는 말이다. 꽉 쥐어진 손으로 무엇을 잡을 수 있을까? 잘살아보겠다는 생각에 힘을 꽉 주다 보면, 선택에 착각이 생기기도 한다. 그리고 힘든 상황에서 빨리 빠져나오려고 하다가, 더 깊은 수렁에 빠지기도 한다. 이럴 때, 잠시 멈추고 흐름을 따라가 보자. 힘주지 말고, 흐르듯이 살아도 나쁘지 않다. 생각하는 것같이 맘대로 되지 않지만, 조금 느슨하게 살아도 삶은 살아진다. 분명히 한 가지를 하고 있으면, 다른 하나가 흐름처럼 나타난다. 그냥 대충 살아도 된다. 대충 살아도 힘든 시기를 견딘 것만으로 훌륭하기 때문이다. 나에게는 애도라는 명분 아래 많은 시간이 주어졌었다. 그 시간에 책을 읽었고, 읽었던 책들이 작게나마 빛을 주었다. 지금도 그 빛줄기를 따라가고 있다.

인생 잘 살고 싶지 않은 사람은 없을 것이다. 다 그런 마음으로 살아가고 있다. 어느 자리에서 삶을 수행하든 나를 대체할 수 없기에 모두 그 자리에서 빛을 내는 훌륭한 사람이다. 그런 빛나는 삶을 살아가는 모든 사람에게 응원을 보낸다.

게으른 내가 하루를 독서로 시작합니다

솔직히 난 게으르지 않았다. 일찍 자고 일찍 일어나는 습관이어서 거의 6시 전에 일어났다. 어릴 때는 마당에 심어 둔 나팔꽃이 피어나는 걸 종종 보곤 했다. 나팔꽃이 서리와 같은 이슬을 먹고 있는 모습을 너무 좋아해 일부러 일찍 일어나기도 했다. 그걸 보려고 해마다 나팔꽃 씨를 화단에 뿌렸었다. 그땐 씨를 뿌리기만 해도 아주 잘 자라 꽃을 피웠다. 이렇게 부지런한 것이 나의 오랜 습관이었다.

어느 순간 '이렇게 부지런 떨어 봤자 뭐하나.' 하는 생각이 들었다. 일부러 더 늦게 일어났고, 늦게까지 깨어있었다. 삶에 루틴은 확 바꾸어버리고, 스스로 게을러지려고 했다. 몇 년을 게을러 보니 이것도 할만 했다. 몸은 피곤하지 않았지만, 내재하던 불안은 해소되지 않았다. 편안함을 거부하고 움직여야 한다는 생각이 머릿속에서 슬금슬금 피어났다. 아무엇도 하고 있지 않으면 왜 불안한 것일까? 아무것도 하지 않으면 편해야 하는데 말이다. 아무것도 하지 않는 것이 편한 것이 아니라는 것을 게으르게 생활해 보고 알았다.

작은 습관을 만들기 위해 독서 모임에 들어갔다. 독서력 높은 회원님들 속에서 얼마나 버틸지 걱정되었지만, 함께하면 의무적으로 한 권의 책이라도 읽을 수 있겠다는 생각으로 시작했다. 그렇게 4년을 한 달에 한 권을 꼭 읽으면서 잘 버텼다. 4년을 유지할 수 있었던 것은 내가 할 수 있는 것만큼 해 왔기 때문이다. 몇 번의 고비가 있었지만, 좋은 리더를 만나 버틸 수 있었다. 편안한 흐름처럼 함께 할 수 있는 사람을 만날 수 있었던 것도 감사하다. 1년 전부터는 새벽 6시에 독서하고 있다. 처음엔 힘들었지만, 함께 하니 지금까지 잘 참여하고 있다.

게을러진 내가 다시 루틴을 찾을 수 있었던 것은 독서다. 하루에 책 읽는 시간을 새벽 독서 시간 전후로 한 시간을 넘기지 않는다. 그렇게 하니 일주일에 한 권 정도는 읽을 수 있는 독서량이 생겼다. 지금 가장 편하게 독서할 수 있는 독서량이다. 하루를 독서로 시작하면서 독서 시간을 따로 내야 한다는 의무감도 줄었다. 그리고 새벽 독서만으로도 하루가 활기차졌다.

마음 치유와 자기 계발에 관한 책들을 보면 비슷한 글들이 나온다. 행복과 성공을 위해서는 양질의 음식을 먹고, 적절히 운동하며, 편안히 쉬고, 책을 읽으라고 한다. 그리고 적절한 인간관계를 유지해야 행복감을 크게 느낄 수 있다고 한다. 먹고, 운동하고, 쉬고, 책을 읽는 것은 혼자 할 수 있는 일이다. 그러나 사람들과의 관계는 혼자 할 수 없으니 가장 노력해야 하는 부분이다. 나 역시 사람들과의 관계를 맺으며 힘든 감정이 자주 올라온다. 모든 사람에게 인정받을 필요도 없다는 걸 알면서도 인정받고 싶어서 상처받는다. 나는 인간관계에서는 애쓰지 않는 방법을 쓰고 있다. 안 맞는 사람에게 맞춰가려고 애쓰지 말고, 무심하게 스쳐 지나가라. 그리고 나를 지지해 주는 사람들을 생각하며 살아가면 된다.

나는 지금 더할 나위 없이 기분 좋은 감정을 유지하고 있다. 이런 마음의 상태를 유지할 수 있는 것은 내가 할 수 있는 명상과 내가 좋아하는 분야의 책을 마음껏 읽을 수 있어서이다. 누구나 살아가면서 크고 작은 일로 힘든 시기가 올 것이다. 방향을 찾지 못해 방황하기도 하고 그럴 힘도 없어 무기력해져 있을 수도 있다. 또 남이 바라보는 내가 중요한 것이 아니라, 내가 바라보는 내가 중요하다는 걸 늦게 깨달을 수도 있다. 그럴 땐, 내가 할 수 있는 만큼 나를 다독이며 해 나가는 것이 중요하다. 나를 뛰어넘는 삶은 할 수 있을 때 하면 된다. 지금은 작게라도 할 수 있는 루틴을 만들어 보자.

게으른 내가 하루를 명상과 독서로 시작한다. 명상가도 아니고 독서광도 아니기에 할 수 있는 만큼 하면서 편안함을 유지하고 있다. 요즘 내가 가장 좋아하는 말은 '할 수 있는 만큼 즐겁게 한다.'이다. 할 수 있는 만큼 즐겁게 하는 것은 무엇이든 계속 이어갈 수 있는 나만의 방법이다.

몇 년이 지난 지금 용기를 내어 이렇게 글을 쓰고 있다. 여전히 표류하는 삶을 이어가고 있지만, 유쾌한 성격을 유지하고 있다. 그리고 나의 삶에 긍정적인 영향을 주었던 사람들에게 감사 할 수 있는 마음의 여유도 생겼다. 소중한 사람들이 하나하나 생겨나는 것도 기쁜 일이다. 이렇게 되기까지 적절한 상담과 명상, 책이 많은 도움이 되었다. 매일 행복한 날들로 펼쳐지진 않지만, 매번 나를 위한 선택으로 활기를 찾고 있다. 기분 좋은 상태를 유지할 수 있다는 것은 최적의 상태이다. 기분 좋은 상태로 할 수 있을 만큼 하고 큰 행복감을 느껴보자. 삶의 중심은 '나'다.

삶이 흐르는 시간

추운 겨울이 지나고 봄이 왔다. 매일 보던 햇살이 더 따듯하게 피부에 스며드는 시간이다. 창문 유리를 통해 들어오는 빛을 맞이하는 것보다 그냥 뛰쳐나가 내리는 비를 맞듯 햇살을 맞아 보고 싶다. 햇살이 이렇게 예뻤을까? 매번 새롭지만 언제나 따뜻하게 느껴진다.

꽃도 피고, 나무도 어린잎을 돋울 것이다. 여름 되기 전에 피는 새싹 빛깔을 담은 연두색 나뭇잎이 좋다. 연두 나뭇잎을 만져보면, 아직 여리고 부드러워 만지기에 미안할 때도 있다. 미안해도 살포시 만져보면 기분이 좋다. 그렇게 봄이 시작되었다.

올해도, 처음 나뭇잎 형태를 갖춘 여린 잎을 만져보고 싶다. 하늘하늘한 양귀비꽃도 뒤집어 살랑대는 치마처럼 만들어 보고 싶다. 투닥투닥 떨어지는 장대비가 골목길 주차된 차에 떨어지는 소리도 듣고 싶다. 겨우내 바싹 마른 낙엽을 종종걸음으로 밟으며, 사각사각 바스러지는 소리도 듣고 싶다. 콧등 스치는 새벽바람과 짭조름한 바닷바람, 풀 냄새 나는 산바람을 느끼고 싶다. 공존하는 모든 것들을 편하게 느낄 수 있는 운 좋은 날들이었으면 한다.

한해 한해 지나가는 시간을 세보지 않고 흘려보내고 싶지만, 새로운 계절이 세월을 세게 한다. 비바람이 차갑게 볼을 시리게 한다. 피부 틈으로 차가운 기운이 전해지고, 내린 비로 고여 있던 빗물이 찝찝하게 신발 틈으로 들어온다.

오늘은 비가 와 습기 가득한 세상이지만, 내일은 선명한 하늘을 볼 수 있을 거라 설레어 기분이 좋다. 올 한 해는 또 어떤 일들로 삶을 흐르게 할지 기대된다.

나의 세계에서 가장 행복하길 바란다.

7 장   독서 통한 사색 1

남들과 다른 하루의 시작

 아침형 인간은 아니었다. 청소년 시절에는 책상에 엎드려서 침을 흘리며 자다가 수시로 엄마의 등 스매싱을 당한 기억도 난다. 잠이 많은 편이었는데 20대부터는 주도적인 삶을 살다 보니 집안에서 뒹굴뒹굴하는 것을 즐겨지 않았다. 간호사로 대학병원에서 3교대를 하니 깨어있는 시간이 불규칙하여 시간을 짜임새 있게 쓸 수밖에 없었다. 결혼 후에도 나와의 싸움에서 이기려고 노력하며 살았다. 해보지 않은 것에 대한 불안도 있지만, 시작하면 끝을 보고 결실에 만족해하며 즐기려 했다.

 반복되고 밋밋한 삶을 지루해하는데 챙겨줘야 할 자식들이 생기니 내가 원하는 것을 마음껏 하지는 못했다. 늘 뭔가 색다른 것을 갈구하고 길을 떠나는 것을 즐겨한다. 시간을 쪼개서 무언가를 하지 않으면 싫증을 느껴 우울감이 찾아온다. 할 일이 많아도 내가 하고 싶은 일을 해야 뿌듯함이 느껴진다. 나를 보고 피곤하게 산다고 말하는 이들도 있지만, 힘들거나 피곤하지 않으니 하는 것이다. 각자 살아가는 방법이 다르다. 추구하는 것이 다를 뿐이다. 아이들이 어릴 때는 재우고 나서 밤을 이용하여 공부했고, 아이들이 청소년 시절이 되어서는 새벽 시간을 이용하여 독서하게 되었다.

20대 때 잠깐씩 여성들의 성공 관련 책을 읽기는 했지만, 지속해서 읽지는 못했다. 심신이 지쳐서 고통이 왔을 때 회사를 휴직하고 쉬면서 책을 읽고 쓰는데 본격적으로 관심을 가지게 되었다. 책 한 권이면 어디에서나 친구처럼 느껴지고 외롭지 않았다. 우리는 혼자 있을 때 누군가와 대화하려고 대상을 찾는데, 그럴 필요도 없다. 책을 읽고 있으면 책을 쓴 저자와 이야기하는 것 같고 나에게 영양가 있는 메시지를 전해준다. 저자가 질문하고 나는 답하고 생각을 정리할 수 있다. 많은 독자가 생기는 책은 그만한 이유가 있다. 책의 내용을 통해 미처 알지 못한 길을 알아갈 수 있어 흥미롭고 설렌다. 내가 걸어온 길은 한정되어 있기에 책을 통해 걸어보지 않은 길에 대해 간접 경험도 할 수 있다.

2019년부터 독서 모임을 가지면서 같은 책을 읽은 후 회원들과 만나서 그 책에 대한 이야기를 나누는 시간을 보내고 있다. 독서 모임 후 집에 돌아오는 길에 내 마음이 얼마나 행복한지 모른다. 그 시간은 그 어떤 무엇을 하는 시간보다 알차고 충만하기에 6년째 하고 있다. 취미가 독서인 사람들과 만나면 소통도 잘 되고, 신기하게도 마음이 편안해진다. 독서 모임을 하기에 꾸준히 새벽 독서 시간을 이용하여 책을 읽을 동기가 된 이유도 있다.

2022년 12월부터 새벽 6시에 일어나 30분 동안 온라인으로 화면을 켜 놓고 사람들과 각자 독서하는 시간을 가졌다. 혼자 하면 오래가지 못할 것 같아 커뮤니티 안에서 함께 할 사람을 찾기 위해 공지를 했다. 처음에는 함께 하는 사람이 없어 혼자 비디오 켜 놓고 독서를 한 적도 있다. 습관이 되지 않아 6시 전에 일어나는 것도 망설여지고 힘들었다. 한 달 정도 버티니 정해진 시간에 자동으로 눈이 떠졌다. 몸이 알아서 습관화된 것이다. 내가 좋아서 하는 일이니 빼먹지 않았다. 인스타그램에 공지하니 함께 독서하고 싶다고 메시지를 보내주셔서 함께 하신 분도 계셨다. 독서를 하고 간단한 서평도 SNS에 기록으로 남기고 있다.

뭔가를 시작해서 알지도 못하는 사람들이 모여 뜻을 함께하는 것이 신기하고, 먼저 손 내밀어주면 잡아주는 사람이 있어 가슴이 따뜻해졌다. 한두 명 모이더니 몇 달 후에는 10명 가까이 모이기도 했다. 그들에게 좋은 글을 낭독해 주고 깨달음을 공유하고 그 시간을 마무리하고 있다.

함께 읽은 사람들도 적극적인 동참을 유도하는 것이 의미 있을 것 같아 요일별로 돌아가면서 그날 읽은 책 내용 중 가슴에 와 닿는 글을 낭독하는 시간도 가졌다. 어느 부분을 낭독해야 하나 긴장되었다고 하지만, 깊이 있게 읽게 되어 뿌듯하다는 피드백도 받았다. 독서하는 모든 분이 능동적인 자세를 가질 수 있게 이끌어가고 있다. 함께 독서하시는 분들이 성장하여 개별적으로 다른 커뮤니티를 만들어 각자 리더로 활동할 수 있도록 독려하고 있다.

새벽에 좋은 글을 읽고 출근하면 하루 시작하는 기분이 달라진다. 인문학, 긍정 관련 글은 좋은 감정을 유발하기에 타인과 관계를 맺는 데도 도움이 된다. 긍정은 또 다른 긍정을 낳고 에너지를 생기게 한다. 기분 좋게 출근해서 웃는 얼굴로 대하고 그 감정을 다른 직원이 받게 되면 그 직원도 기분 좋게 하루를 시작하게 된다. 도미노처럼 분위기 좋게 인사를 나누게 된다. 화가 나는 일도 덜 내게 되고 새벽에 읽었던 글을 상기시키면 미소 지어진다.

일어나서 헐레벌떡 출근 준비를 하고 정신없이 하루를 시작하는 사람과 여유 있게 일어나서 양서를 읽고 시작하는 하루는 확연히 다르다. 시간에 쫓기면서 시작하면 하루 마무리도 쫓기면서 끝난다. 새벽 독서를 꾸준히 하면 자신에 대한 확고함과 잘하고 있다는 자신감도 생기고 새벽 독서를 해냈다는 쾌감도 느낀다. 지금은 1년 넘게 새벽 독서를 해오니 함께 읽은 사람들과 글도 써봐야겠다는 생각에 퇴근하고 노트북을 켜고 의자에 앉아있다. 새벽 독서를 해온 하나의 시작이 다른 뭔가를 하게 만드는 원동력이 된 것이다.

나는 단지 온라인 링크만 공유하려고 올렸을 뿐인데 뜻이 같은 사람들이 모여 시작한다는 것이 재미있고 나를 움직이게 만든다. 다른 사람들의 삶이 궁금하고 관심이 간다. 새벽에 일어나서 독서해야 한다는 생각에 밤에는 일찍 잠자리에 들지만, 눈뜨고 하루 중 활동하는 시간은 다르지 않다. 일찍 자고 일찍 일어나서 활동하며 7시간 정도 숙면을 취하고 있다. 남들과 다르게 이른 시간에 독서 타임을 하고 있으면 해가 뜰 때 찬란함을 맛본다. 내 미래는 밝을 것 같고, 나 아닌 다른 사람들에게도 영향을 주고 있는 것 같아 보람 있다.

무엇이든 시작을 어떻게 하느냐가 중요하다. 하루의 시작을 무엇으로 어떤 모습을 가지고 시작할지는 본인의 선택에 달려 있다. 누구에게나 주어진 '하루'라는 날을 의미 있게 시작하면 풍성한 하루가 될 수 있다. 그 풍성한 하루하루가 쌓여 오늘보다는 나은 미래가 되고 있다고 믿는다. 그 맛이 짜릿하기에 새벽 독서를 하고 새벽에 일어나게 된다.

재미를 추구하는 나는 '꿈꾸는 재미ist'

아빠의 유머 감각을 닮은 것인가? 가족 아닌 다른 사람에게 아빠는 인기가 많았다. 재미있는 말씀을 많이 하시고, 모임에서 분위기 메이커이셨기 때문이다. 술을 좋아하셨던 아빠는 손님들을 집에 초대하는 것을 즐겨 하셨다. 내향성이 강한 나는 시끌시끌한 것을 싫어해서 손님이 오는 것이 싫었다. 어른이 되어서는 아빠의 유전 소인이 있는지 소통이 잘 되는 사람들을 초대하여 작은 파티를 여는 것도 즐겨하고 담소를 나누는 것이 재미있어졌다. 어떤 것이든 재미가 있어야 한다.

회사에서도 업무를 하는 데 재미가 느껴져야 효율성이 올라가고 신이 난다. 생계형으로 돈벌이라고만 생각하면 시간도 느리게 가고, 하루에 8시간이나 머물러 있는 곳이 지루해진다. 해야 할 일이라면 그 안에서 재밋거리를 찾고, 유치해도 웃을 수 있게 멘트하면서 일을 해야 흥이 난다. 재미도 없는데 해야만 하는 일이라면 가슴이 답답하고 울적해진다. 뭐라도 스스로가 느낄 수 있는 재미 요소를 찾으려 노력하고 업무에는 의미를 부여하고 있다.

몇 년 전에 미국의 유명한 유튜버 에번 카마이클이 쓴 책 《한 단어의 힘》에서는 삶의 나침반이 되어줄 한 단어를 찾으라고 말하고 있다. 이 책을 읽고 나에게 어울리는 단어에 대해 고민했다. 나만의 시그니처가 될 수 있는 한 단어는 무엇인지 생각하고 찾은 것이 '재미'였다. 20대부터 직장을 선택하고, 돈을 모아 나만의 인생 경로를 찾아 떠난 것도 재미를 찾아 떠난 여정이었다. 물론 재미만 있는 것은 아니었다. 고난과 좌절도 있지만 재미도 포함되어 있었다. 해보지 않은 것에 어떻게 재미만 있겠는가! 새로운 것에 대한 시도는 불안감이 생기기 마련이지만 짜릿한 재미가 MSG처럼 첨가되어 있다. 고통을 딛고 나아가면 어느새 안정되고 재미를 느끼게 된다.

회사에서 직원들을 대상으로 강연했을 때도 말한 내용인 자신을 어떤 단어로 표현할지 생각해 보기를 추천한다. 그 단어를 선택하면 그렇게 이루어지고 그렇게 살아가게 된다. 소소한 것에서도 재미를 찾으려 하고 늘 재미를 추구하기에 무미건조한 삶을 살지 않고 있다. 내 인생 그다음 스텝은 무엇이 기다리고 있을지 탐색하고 나에게 질문하고 답하면서 살아간다.

꿈꾸는 것을 좋아하고, 재미를 추구하는 사람인 나를 '꿈꾸는 재미ist'로 표현했다. 나를 지칭하는 이 호칭이 마음에 들고 스스로 정한 애칭처럼 꿈꾸며 재미를 따라 도전하는 것들이 끊임없이 생기고 있다. 첫 직장은 대학병원에서 간호사로 지냈고 2번째 직업은 평범한 회사원 이제는 3번째 직업도 찾아가고 있다.

블로그, 인스타그램도 배우면서 수익을 창출해 보려고 시도했고, 쿠팡 파트너스도 직접 해 보았는데 재미가 크지 않았다. 플랫폼을 통해 소비자에게 물건을 소개하고 판매를 유도하는 글이나 사진을 올려야 하는데 소비를 즐겨하지 않는 나랑 맞지 않았다. 나는 저축형 인간이지 소비형 인간이 아니다. 누군가에게 물건을 판매하는 것이 재밌는 일이 아니었다. 나에 대해 알아가니 무엇을 해야 할지 방향을 잡을 수 있었다.

사람을 직접 만나서 하는 일이 나에게 어울리고 재미를 느끼게 된다는 것을 '나다움' 공부하면서 알게 되었다. 사람 대 사람으로 정도 느끼면서 인간다움을 체험할 수 있는 일이 좋다. 그런 면에서 지금도 운영 중인 독서 모임이나 글쓰기가 나와 궁합이 맞다. 마음이 나락으로 떨어질 때도 힘이 되는 글로 위로를 받고, 비가 오면 클래식 음악을 틀어 놓고 감성에 젖어 차를 마시면서 시를 읽기도 한다. 출근해서는 나만의 일기장에 그때그때 있었던 사건 발생 시에 감정을 글로 적어 둔다. 이렇게 읽고 쓸 때마다 내 마음의 감정 쓰레기를 빗자루로 쓸어버리듯이 버리게 된다.사람마다 재미를 느낄 수 있는 포인트도 다르고 항목도 다르다. 각자의 재미를 찾는 일은 누구도 대신 해줄 수 있는 일이 아니기에 가만히 있으면 평생 알지 못한다. 배우고 실행하다 보면 본인이 재미를 느끼는 것을 알아낸다. 누가 시키지 않아도 하고 싶어지고 끌리는 매력이 생겨 빠져들게 된다.

재미에 빠지게 된 것을 찾게 되면 지인들도 해볼 수 있게 소개해 주고 있다. 좋은 것은 나누고 싶은 마음이다. 지인들도 나로 인해 알게 된 것을 함께 하게 되어 기쁨을 느낀다면 뜻깊은 일이 되는 것이다. 사람은 이렇게 어우러지고 스며들면서 지내야 삶이 풍성해진다. 점점 영역이 확대되면 활기찬 기운을 얻어 지치지 않는다.

책을 접하지 않았던 회사 동료들에게도 편하게 읽히는 책을 권하여 자연스럽게 독서하게 유도하고 있다. 부담감 주지 않고 기한 제한 없이 다 읽은 후 반납하라고 말한다. 독서를 즐기는 지인들에게는 내가 읽었던 책 중 유익한 것은 타인에게 맞춤형으로 책을 선물해 준다. 환한 미소로 화답을 받으면 세상을 다 얻은 기분이 든다. 류시화 작가의 《내가 생각한 인생이 아니야》에서도 1등을 하는 사람보다 재미있는 2등을 하는 사람이 좋다고 말하고 있다. 재미를 아는 사람이 삶의 다양성을 추구한다.

 나이를 먹을수록 재미를 찾을 수 있는 시간적 여유가 많아져서 행복하다. 재미를 통한 일을 찾아 돈을 벌 수 있는 파이프라인도 만들고, 그 수익으로 도움을 줄 수 있는 이벤트를 만들며 지내려 노력 중이다. 나만 행복한 것이 아니라 주변 사람들도 행복감을 수시로 느끼면서 살아갔으면 한다. 나이를 먹을수록 느껴지는 재미를 타인들도 느꼈으면 한다. 재미가 있는 곳에는 언제나 책이 있다는 사실을 기억하면서 말이다. 꿈을 꾸면 재미는 따라 온다

우물 안 개구리가 우물 밖으로 나오다

 직장 생활을 하다 보면 주기적으로 고구마 2개 먹은 것 같은 답답함이 찾아온다. 묵묵히 직장 생활만 하는 사람들을 보면 나와는 달라 새롭게 보인다. 각자 성향이 다르기에 인생에서 체감되는 답답함의 시기가 다른 것 같다. 이제는 회사라는 울타리에 가두고 매월 나오는 월급만 보면서 살아가는 사람들도 줄어들고 있다. 정년퇴직을 꿈꾸는 사람도 감소하고 있다. 20대부터 투잡을 하면서 자신이 할 수 있는 것에 도전하는 사람들이 늘어나면서 호시탐탐 뭔가를 하려 한다.

 퇴근 후 공부를 해서 SNS의 다양한 플랫폼을 통해 자신을 알리면서 활동하고 수익을 내는 젊은이들이 많아지고 있다. 직장인 10명 중 3명이 직장생활과 아르바이트를 병행한다는 잡코리아 통계를 보았다. 단시간에 경제적 여유를 가지고 40대부터 쉬면서 살아가고자 하는 목적도 있다. 30대 때 성공해서 빠른 은퇴를 꿈꾸는 사람이 많아지고 있다.

회사에만 오래 머물러 있는 사람들은 회사를 그만두고 다른 일을 하는데 두려움을 갖는다. 회사가 가장 안전한 곳인 줄 알고 회사를 퇴직하면 큰일 나는 줄 안다. 나이를 먹으면서 누가 나를 채용해 줄까 싶은 걱정도 앞선다. 20년 넘게 같은 회사에 다니면 회사의 시스템에 익숙해져서 새로운 무언가를 하기도 쉽지는 않다.

구본형 작가의 《익숙한 것과의 결별》 책에서는 도태되는 인생을 벗어나 새로운 인생을 살기 위해서는 익숙한 것과 헤어져야 한다고 말한다. 그것을 뚫고 나와야 몰랐던 것들을 알게 되고 확장된 사고를 하는데 회사 안에서 배운 것만 가지고 헤엄치고 다니면서 불평을 하는 사람도 있다.

나이를 먹으면 귀찮아지는 것이 현실이다. 50대 정도 되면 타 부서로 발령 나서 새로운 업무와 인간관계를 시작하는 것조차도 어렵게 느껴진다. 뛰어난 능력자 아니면 인사부에서도 나이 먹은 사람들은 기획하는 핵심 부서에 발령을 내지 않는다. 회사 측에서도 인재를 알아본다.

낯선 것에 적응한다는 것이 에너지를 쏟아야 하는 것이

기에 애쓰고 싶지 않은 사람들은 작은 변화도 싫어한다. 반복되더라도 단순하고 익숙한 일이니, 그것에 정체되어 사는 것이 편해진다. 그것을 탈피할 구실이 필요하다. 한 평생 살면서 한 직장만 다니는 것도 의미 있는 일이지만, 다양한 직장의 경험도 쌓아보고 싶은 마음이 강했다. 호기심이 있는 것도 있지만, 이런 마음이 들게 하는 요소 중 하나가 책이다. 나와 다르게 살아온 사람들의 이야기를 읽고 있으면 그들처럼 해보고 싶어지는 욕구가 생긴다.

건축가, 공학자, 대학교수, 경제학자, 예술가, 상담사, 성직자 등 다채로운 직업군이 있으니 내가 할 수 있는 또 다른 무엇이 있는지 우물 안에서 나와 다른 곳을 기웃거렸다. 일하는 장소를 바꾸고 싶어서 상담대학원도 진학하여 공부했다. 상담을 현업으로 하는 분들과 가까이하면서 어떤 일을 하는지 학생들에게 어떤 식으로 상담이 이루어지고 있는지 현실적인 문제를 듣고 파악할 수 있었다. 다른 세상을 들여다보면 생각의 폭도 넓어지고 내가 잘할 수 있는 일인지도 탐색하게 된다.

상담은 오랜 시간 경험을 해야 하고 내공이 필요해 보였다. 대학원 졸업 후 이직할 수 있는 기회가 주어졌지만, 몇 번의 실습과 이론 공부로 만족했다. 무엇보다 나의 심리 파악하는데 공부가 되었기에 그것으로 만족했다. 막연하게 상상으로 추측했던 것과 현실 상담은 달라 이직을 접었다. 시도해 보았기에 그곳에 미련을 두지 않았고, 상담이론 공부는 흥미로웠지만 직업으로 누군가를 상담해 주는 것은 오랜 기간의 수련이 필요함을 알았다.

현 직장에서 만나는 사람 외에 다른 직업을 가지고 있는 사람들과 만나는 것을 즐긴다. 개인적인 커뮤니티를 통해 만나는 사람들은 직업도 다양하고 삶의 패턴도 달라 매력적인 면이 있다. 독서 모임에서 만나 스쳐 지나간 사람들의 생각도 들을 수 있어 인생 공부에 도움이 된다. TV 프로그램인 《인간 극장》 같이 사람들의 이야기를 들으며 생각하는 것이 즐거움이다. 살아온 이야기는 세상 누구도 같지 않기에 삶은 재미있는 것이다. 우물 밖으로 나와 타인의 말에 귀 기울이고 관심을 가지면 하고 싶은 것이 생긴다.

2017년에 평범한 사람들도 책 쓰기를 할 수 있다는 사실을 알고 관심이 생겼다. 책 쓰기 관련 수업을 듣기 위해 몇 주 동안 주말에 기차 타고 서울에 올라가서 강의를 들었다. 작가들이 세상을 바라보는 관점, 메모하는 습관, 쓰고자 하는 내용, 목차 정하기에 대해 배우면서 피곤함도 잊었다. 하고 싶은 것이 생기고 그 방향으로 나가면 신이 난다. 몰랐던 것을 알게 되면 사유의 시선도 높아진다. 관심사가 비슷한 사람들이 모인 곳에 가면 서로가 힘이 되어 결실을 보게 된다. 몇 달 동안 초고를 완성하고 퇴고 과정을 거쳐 2019년에 첫 책을 출간한 것이다. 관심만 있을 뿐 우물 밖으로 나오지 않았고 다른 모양의 첫 단추를 끼지 않았다면 지금까지 3권의 책을 출간하지 못했을 것이다. 한 번이 어려운 것이지 해보면 그다음 이어나갈 힘이 생긴다.

20대 때 성공한 커리어 우먼들의 책을 읽으면서 50대가 되면 사업가로 성공하고 싶은 막연한 꿈이 있었다. 이제 그것을 실행할 때가 다가오고 있다. 사업하는 분들과 만나고 이야기 들으면서 우물 밖으로 나와 멀리뛰기를 하고 싶다. 처음에는 몰라서 힘들지만 알면 재미있어지는 것이 인생이다. 학교생활, 직장 생활, 부모가 되는 것 등 모든 시작은 어려운 법이다. 시작은 깨지고 넘어지고 상처 나는 것이기에 그것을 무서워하면 아무것도 할 수 없다.

무료 밥 제공해 주는 시설, 청소년 거주 시설, 신생아 보육원, 연탄 나르기 등을 통한 봉사활동을 하는 것도 다른 세상을 보고 싶은 이유이다. 봉사활동하고 나면 나에게 주어진 모든 것이 감사하다. 다른 세상에서 나를 들여다보는 시간도 갖고 다양성도 수용하게 된다. 우물 밖으로 나오면 나를 다른 세상으로 데려가고 생각의 꼬리를 물게 되면서 새로운 것을 하게 만들어 준다. 세상에 모르고 있는 것이 많다는 사실도 알게 될 것이다.

내면이 단단해지는 나

10대 때는 주변 사람들과 비교해서 내 자신이 하찮게 느껴져서 현실을 부정하고 싶었다. 마음대로 되는 것이 없어 우울했고, 뭔가를 하려고 하는 의지도 없었다. 시간은 무의미하게 그냥 흘러갔다. 열심히 해도 원하는 대로 되지 않아 속상하고 어리석음으로 내 탓을 하고, 능력 없는 내가 싫었다. 10대 때는 발언권이 없어 어른들 말만 듣는 게 곤욕스러웠다. 20대부터 내 삶을 주도적으로 이끌어가니 자유가 찾아오고 활기를 찾게 되었다.

20대부터 독서를 하면서 내게 주어진 것에 감사할 일이 넘쳐나는 것도 알았다. 세상 사람들에게 공평하게 주어지는 공기, 시간도 고맙게 생각한다. 심리학, 인문학, 자기계발서, 고전문학책을 읽으면서 내가 변하고 있다는 것도 느낀다. 고통이 찾아오면 부정이 스멀스멀 올라오지만, 회복하는 시간이 점점 짧아지고 있다.

뇌는 부정적인 사고를 하기 시작하면 깊은 부정으로 들어가게 된다. 누군가가 끄집어내 주지 않으면 부정의 바다에서 헤엄을 친다. 끄집어내는 역할을 해주는 것이 나에게는 책이었다. 사람이 들어주고 공감해 주는 것도 감정 전환하는 데 도움이 되지만 한계가 있다.

병마와 싸우면서 살아가고 있는 정신분석 전문의 김혜남 작가의 《만일 내가 인생을 다시 산다면》 같은 희망을 주는 책을 읽으면서 내 삶과 빗대어 사색하게 된다. 희망적이고 긍정적인 영향을 주는 책을 지속해서 읽으면 뇌가 인생을 긍정으로 바라보게 되고 희망을 품게 된다. 만나는 사람도 부정이 아닌 긍정적인 사고를 하는 사람들과 어울리려 한다. 의도적으로 부정 단어를 자주 사용하는 사람을 피한다. 그만큼 평소에 가까이 접하는 것들이 알게 모르게 영향을 주고받기에 지인들이 중요하다. 소소한 사건도 필요 이상으로 확대하여 생각하고 마음이 괴로웠는데 그런 일들도 줄어들었다. 점점 이런 내가 좋아지고 대견하게 생각된다.

양원근 작가는 《나는 죽을 때까지 지적이고 싶다》 책에서 사람들은 누가 정해주는 생각의 틀이 아니라 내가 정한 구조의 틀 속에서 살아간다고 한다. 그렇게 사는 것이 주도적인 삶, 자신에게 어울리는 삶이지 않을까! 단단한 내면을 가진 사람들은 남의 눈치 보지 않고 본인이 원하는 삶을 걸어간다. 나도 그렇게 살기를 원해서 독서하며 생각 전환의 기회로 삼고 실행하고 있다.

남의 험담도 줄이려고 노력하고 타인의 장점을 찾으려고 한다. 2명 이상이 모이면 타인에 대한 이야기가 나온다. 타인의 이야기로 시간을 허비하지 않고 각자 또는 모여 있는 우리의 이야기를 나눌 수 있게 유도한다. 여러 명이 모였을 때 남의 험담에 동참하지 않으면 뻘쭘하게 되고, 대화에 끼지 못해 외톨이가 되는 느낌이 든다. 그럴 때는 대화의 주제를 자연스럽게 다른 방향으로 돌리는 연습을 하고 있다. 나에게 주어진 시간을 그 자리에 있지도 않은 사람에 대해 말하고 나면 나중에 기억에 남는 것이 없다. 내 시간만 아까울 뿐이다. 내가 발전할 수 있는 것에 집중하고 건설적인 대화를 해야 그 시간이 가치 있는 것이다.

조금씩 내면이 단단해지면서 타인이 나에게 던지는 말에도 상처를 덜 받게 되고, 신경이 덜 쓰인다. 독서하면서 자신에 대해 잘 알게 되면 남과 비교도 하지 않게 되고 나답게 지낼 방법을 모색한다. 그것에 따라 하나씩 행동으로 옮기면서 이루게 되면 성취감도 올라가고 단맛, 쓴맛, 신맛, 짠맛 중 인생의 단맛을 느끼는 희열이 찾아온다.

내가 나아가야 할 방향을 찾게 되고, 진행 속도도 조절하면서 삶의 의미를 알게 된다. 이 세상에 태어난 것은 의미 있는 일을 하라고 지구에 보내지지 않았을까 싶은 생각이 든다. 주변인들에게 작은 것이라도 선 순한 영향을 주고 싶다. 그러기 위해서는 무엇을 해야 할지 고민하고, 그 목표를 향해 한 발짝씩 나아가고 있다. 그 힘은 다양한 장르의 책을 읽으면서 작가들이 알려주는 내용을 숙지하고 사유하는 과정에서 생겼다.

자기 계발서인 《역행자》, 《럭키》, 《럭키 드로우》, 《세이노의 가르침》 책을 읽으니 나도 이미 반은 성공한 것 같은 착각에 빠진다. 읽는 데 그치지 않고 하나씩 실행에 옮기고 있다. 안 해본 작은 일도 시도해 보고 알지 못했던 정보와 지식도 쌓게 되었다. 성공자들의 공통점인 꾸준한 독서는 옛날이나 지금이나 똑같다.

나무를 자라게 하려면 묘목을 심고 토양이 좋아야 한다. 책이 토양 역할을 해주고 우리는 나무가 되어 좋은 토양을 통해 쭉쭉 자라면 된다. 나무가 자라기 위한 햇빛, 공기, 비료는 부모, 친구, 어울리는 사람들이라고 말할 수 있다. 이런 것들이 모두 스며들어 뿌리가 단단하고 눈이나 비가 와도 꺾이지 않는 형태를 유지하게 되는 것이다. 울적함이 잦았던 나도 이제는 내공의 탑을 쌓고 내가 그리는 중년의 모습으로 나아가고 있다.

혼자 또는 함께

아이들 어릴 때는 혼자만의 시간이 간절했지만, 막상 남편은 출장 가고 아이들은 학원이나 수학여행 가고 나면 집안이 적막하기도 하다. 아이들이 수시로 나를 찾을 때는 혼자 있고 싶다가도 혼자만의 시간이 길어지면 집에서 대화 나눌 사람도 없고, 쓸쓸함이 몰려온다. 사람이 간사하게도 가족이 그리워진다. 싱글인 사람들이 외출 후 집에 들어가서 하는 일이 TV를 켠다는 말이 이해된다. 외롭고 적적하기 때문이다. 사람이 혼자 오래 살면 말수도 줄어들고 얼굴이 굳어져 가는 것을 주변에서 봐도 알 수 있다.

가족이 있어야 웃고 울고 화내고 풀고 어울리면서 서로를 알아가고 이해하며 살아간다. 사람에 대한 이해 폭도 깊어지고 힘든 것은 나눌 줄도 알게 된다. 지지고 볶다가 혼자만의 시간을 갖는 것을 적절하게 유지하는 것이 중요하다. 여행도 가족이 함께 가는 여행, 혼자 떠나는 여행 번갈아 가면서 또는 친구들과 떠나는 여행도 또 다른 맛이 있다. 함께 고민해야 할 일이 있고, 혼자서 조용히 해결해야 할 일이 있는 것이다.

혼자만의 여행은 기차 타고 떠날 때가 좋다. 기차도 KTX보다는 무궁화를 타고 천천히 달리면서 독서하는 여행을 즐긴다. 책 읽다가 창문 밖을 내다보면 계절의 변화도 느껴지고 스쳐 지나가는 풍경이 지나온 세월의 흐름만큼 빠름을 알게 된다. 기차 안의 아늑한 의자에 편히 앉아 음악도 들으면 행복했던 영상이 떠오른다. 기차 타고 서울에 가서 친구들도 만나고 친정집에 다녀오면 세상 다 가진 기분이 든다. 멀리 떠나야지만 여행이 아니다. 혼자만의 시간을 가질 수 있는 순간을 충분히 즐기면 목적지가 어디든 상관없이 행복감이 가득해진다.

살다가 가슴이 답답하고 목이 메어오는 날이 있으면 혼자 운전해서 교외로 나가서 시원한 공기로 가슴을 채우기도 했다. 여행까지는 아니지만, 공간을 바꾸어 바람을 쐬면서 차로 다니면 화가 났던 기분도 가라앉고 환기가 된다. 산을 좋아하기에 주말에는 산길을 거닐면서 쭉쭉 뻗은 나무를 보면 속이 뻥 뚫린다. 평일에는 앞만 보고 달리다가 여유로운 날이 생기면 자연을 벗 삼아 정서 순환하는 것이 다음 날 달릴 힘을 만들어 준다. 자연을 좋아하기에 우종영 작가의 《나는 나무에게 인생을 배웠다》 책을 읽었다. 나무마다 배울 점을 알려주는 지혜는 신선했고 어떤 마음으로 만물을 대하느냐에 따라 내가 달라진다는 사실도 깨달았다.

아이들이 부모 곁을 떠나는 성인이 되기 전에 혼자 즐길 수 있는 취미가 필요하다. 중년이 되어서도 남편 없이는 아무것도 못 하고 혼자 놀 줄 모르는 아내도 있다. 상대방에 대한 의존도가 높으면 갑자기 혼자가 되었을 때 아무것도 못 한다. 배우자 없이 각자가 하고 싶은 것도 즐길 줄 알아야 자신의 인생을 꾸밀 줄 알게 된다. 함께 하는 시간과 혼자 하는 시간을 구분하여 지내야 삶에 자신감이 생기고 존재감이 느껴진다.

우리 부부는 각자의 일터에서 일하고 퇴근 후 저녁 식사하고 가까운 공원에 가서 걷고 달린다. 그날 있었던 이야기를 나누고 걷고 나면 운동도 되고 대화의 시간이 생겨서 일석이조이다. 귀가하고 집 밖으로 한 발짝도 나오지 않는 사람도 있는데 우리는 다행히 움직이는 것을 좋아한다. 그 시간을 통해 서로에 대해 알아가기도 한다. 날씨가 좋은 계절에는 근교 산에 가서 걷는다. 걷는 것을 좋아하는 공통점이 있어서 감사하다. 계절의 변화를 눈에 담고 함께 하는 것이 즐겁다. 부부가 공통된 취미 생활을 갖는 것도 삶의 질을 높여주고 상대에 대한 이해도가 올라간다.

주말이나 주중에 각자가 원하는 취미 생활을 할 때는 존중해준다. 신랑은 탁구하고, 나는 독서 모임을 한다. 서로가 원하는 활동은 그 안에서 즐길 수 있게 지지해 주고 방해하지 않는다. 혼자만의 시간을 가지기도 하고, 부부가 둘이 함께하는 공통 요소도 있어야 삶이 풍성해진다. 아이들이 어른이 되어서도 각자 일터에서 열심히 생활하다가 정해 놓은 시간에 모여 이야기꽃을 피우는 시스템을 갖출 것이다. 매일 붙어 있다고 잘 아는 것도 아니고, 헤어져 있다고 잘 모르는 것도 아니다. 함께 할 때와 떨어져 있을 때의 적절한 타이밍이 중요하다.

아이들도 대학을 졸업하고 취업하면서 각자의 길을 가는 것이 당연하다. 둥지에서 떠나보내는 것을 서운해 하지 말고 잘 지낼 수 있도록 응원해 줘야 한다. 떠날 때 못 떠나고 캥거루족으로 부모와 함께 있는 것도 피곤한 일이다. 시간의 흐름에 따라 순리대로 수용하면서 개인의 삶과 공동체의 삶을 받아들일 수 있도록 미리 대처하는 게 현명하다.

간접 경험 통한 배움

미래는 어떻게 펼쳐질지 알 수 없다. 직업, 배우자, 인간관계, 인생 설계 등 고민의 연속이다. 나의 고민만 있는 것도 아니다. 가족 간에 생기는 다양한 문제들도 끊임없이 얽히고설키면서 뇌를 쉬게 하지 않는다. 생각하는 동물이기에 생각거리를 만들어 주나 보다. 모두가 처음 가보는 인생길을 걸어가기에 어떤 선택을 해야 할지 알려주는 사람이 없다. 그것은 먼저 살아온 사람들의 다채로운 이야기가 적힌 책에서 팁을 얻을 수 있다. 아이들 키울 때 힘들면 육아 관련 서적을 읽었고, 아프면 건강 관련 서적, 도태되고 게을러지면 자기계발서, 삶이 답답해지면 인문학, 죽음에 대해서도 책을 통해 알아갔다. 관심 있는 분야에 대해 책으로 나와 있는 것이 많이 있으니 선택하고 읽고 적고 체험하면서 내 것으로 만들어 가는 것이다. 학교에서도 모르는 문제가 있으면 선생님께 여쭈어보듯이 누구도 알려주지 않는 인생 공부는 책을 통해 배우는 것이 현명하다.

선조들이 써 주신 지혜와 경험은 값지다. 책을 통한 간접 경험으로 내 인생을 빗대어 생각해 보고 도전하는 것이다. 20대부터 읽은 성공한 자들의 글에 따르면 할 수 있을 때 미루지 말고 시도하라고 강조한다. 그 영향으로 대학 때도 교육학을 이수하여 교원자격증도 얻어 임용시험에도 응시할 수 있었다. 그 당시 공부하는 게 귀찮고 하지 않았더라면 임용 시험 볼 수 있는 지원자의 자격조차 얻지 못했다.

미래의 언젠가는 동기부여 강연자 김미경 강사님처럼 사람들 앞에서 강연도 하고 싶은 생각에 강연 스킬에 대해 공부도 하였다. 코로나 시국이라 비록 온라인으로 대체하여 촬영하였지만, 직원 최초로 지원하여 사내 직원들 대상으로 '자기 이해 방법'이라는 주제로 강연했다. 후배들에게 들려주고 싶은 내용이었다. 자기 이해 방법 3가지는 독서, 쓰기, 사람을 통해서 알 수 있다고 설명하였다. 자신에 대한 이해가 가장 우선 되어야 타인 이해가 가능하고 삶에 여유가 생긴다는 내용이다. 스텝 외 관객 없이 나혼자 큰 무대에서 강연했지만, 그 짜릿함과 설렘은 어디에서도 느껴보지 못한 소중한 감정이었다. 꿈꾸면 이루어진다는 것을 직접 느껴보는 순간이었다.

그 당시 꿈꾸던 강연을 위해 원고를 쓰고 퇴근 후 산책하면서 또는 거울 앞에서 연습을 반복했다. 연습만이 실수를 줄이는 일이기에 3주 내내 제스처도 자연스럽게 넣어가며 연습했다. 기다리던 무대에 서니 짜릿함과 기대감으로 유명한 강연자가 된 느낌이 들었다. 의외로 떨리지도 않았고 약간의 제스처와 말이 술술 나오는 것이 간절히 원했던 일을 하면 엔돌핀이 나온다는 것을 절실히 느꼈다. 이런 용기를 낼 수 있었던 것은 평소에 롤 모델이신 김미경 강사님의 동영상도 들으며 흉내를 냈기 때문이다.

미래를 설계하는 데 도움을 주는 책들도 읽었다. 책을 읽기에만 그치는 것이 아니라 성공한 분들이 적어놓은 글들을 실천하려 애쓰고 있다. 추진력, 실행력 없이 읽기에만 그치는 사람들이 많다. 아직도 부족한 부분이 많지만, 하지 않으면 후회할 것 같아 미루지 않고 하고 싶은 것들은 실행으로 옮기고 있다. 평일에 회사 다니다 주말이면 쉬고 싶은 마음이 강하게 올라온다. 그 마음을 버리고 주말에는 영향 받을 수 있는 좋은 분들이 있으면 서울로 가서 만난다. 움직여서 만나고 오면 가슴이 뛴다. 몸은 피곤하지만 역시 갔다 오길 잘했다는 생각에 다음에도 또 움직이게 된다.

책 내용이 좋으면 비대면 또는 대면으로 작가들도 만난다. 황보름, 고명환, 양원근 작가님 등의 책도 가슴에 울림을 주고 마음이 따뜻해져서 북 토크에 참여했다. 인문학

관련 글을 쓰시는 분들의 말씀을 들으면 살아있는 느낌이 든다. 바쁜 일상에 치여 지내다가 삶을 들여다보게 만드는 주제를 던져주니 가슴이 벅차오른다. 자신의 인생인데도 제대로 생각해 본 적이 없는 사람이 대다수이다. '무엇을 위해 이렇게 달리고 있는지?' '돈은 벌어서 어디에 사용하려 하는지?' '내가 진정 원하는 삶을 살고 있는지?' 생각해 본 적 없을 것이다. 돈을 벌어야 하니 취업했고 먹고살아야 하니 꼬박꼬박 매달 돈을 주는 회사에 다니면서 그렇게 그렇게 늙어간다.

은퇴하고 나면 무엇을 하면서 남은 인생을 어떻게 살지 그때부터 멘붕이 오고 고민하기 시작한다. 적어도 퇴직 5년 전에는 미리 자신에 대한 집중 공부를 통해 파악하고 해보고 싶은 것을 선행해 보는 것이 좋다. 경제력이 있을 때 이것저것 시도해 보고 퇴직하기 전에 할 것을 정하는 것이다. 그러면 퇴직하고 나서도 우왕좌왕하면서 시간을 허비하지 않게 된다. 《세컨하우스로 출근합니다》, 《40세에 은퇴하다》, 《퇴사하겠습니다》 등의 책을 통해 미리 은퇴자들의 삶을 엿보는 것도 추천한다. 다채로운 직업군을 가진 사람들의 책을 통해 나의 길에 대한 팁도 얻을 수 있다.

내 인생은 누가 대신 살아주지 않는다. 상상도 못 할 힘든 상황이 닥쳐도 누구는 그것을 극복하고 이겨내서 부자가 되고, 누구는 주저앉아 버리고 포기한 삶을 산다. 부자가 되어 성공한 사람들은 하나같이 독서로 그 힘든 것을 극복해 냈다. 책에 답이 있다는 것이다. 나도 그렇게 생각하는 사람 중의 한 명이다. 시간도 제한적이기에 모든 길을 걸어볼 수 없다. 그렇다면 나에게 어울리고 잘할 수 있는 최적의 길을 걸어가 보자. 여러 가지의 간접 경험할 수 있게 도움 주는 것이 책이라는 사실을 기억하자. 자신이 무엇을 좋아하는지 더 이상 타인에게 물어보지 말고 스스로 읽고 배우고 깨우치면 알 수 있게 된다. 책에 대한 매력을 느끼게 된다면 권하지 않아도 어느 순간 손에는 책이 쥐여 있을 것이다.

독서로 시작하여 쓰기로 연결하다

좋아하는 것을 찾지 못해 주어진 세상에 갇혀 살아가는 사람들이 대부분이다. 직장 동료들도 회사를 그만두면 무엇을 해서 먹고살아야 할지 몰라 그냥 다니고 있는 사람이 많다. 하는 업무에 보람을 느끼고 의미가 있어야 재미가 생기는데 생계유지를 위해 돈을 버는 목적으로만 다니게 되면 삶이 퇴색되어 간다. 회사에 다니는 자신만의 목적이 뚜렷하게 있고, 그 안에서 성취감, 만족감이 생겨야 회사 가는 길이 행복의 길이 된다. 회사뿐만 아니라 무슨 일이든 소속되어 있는 안에서 인정받고 나아가는 것이 느껴져야 희망이 보이고 오랜 기간 머무를 수 있다.

직장 생활하는 동안 뭘 하면 의미가 있을까 고민했다. 내가 다녔던 흔적을 남기고 싶어 아이디어도 내고, 후배들 대상으로 강연도 하고 출간한 책을 선물하기도 했다. 직장 동료도 언제까지 만날지 모르니 해 줄 수 있을 때 좋은 건 나눠주고, 회사 생활에 대한 노하우도 알려주고 있다. 후배들을 보면 워킹 맘으로 정신없이 보내는 모습이 애처롭고 나의 과거가 떠오르기도 한다. 주어진 업무는 최선을 다하고 자기 계발의 중요성도 강조해 주어 그들도 원하는 것을 찾기 바란다.

50대가 되기 전에 읽고 쓰기를 하고 있으면 마음이 편해지고 나랑 궁합이 잘 맞는 작업이라는 것을 알게 되어 감사하다. 즐거운 일을 찾으니 회사 업무에서 받은 스트레스를 퇴근 후 읽고 쓰면서 풀어낼 수 있다. 즐기는 것을 따라잡을 수 있는 행복감은 없다. 읽고 쓰는 것은 저가 비용으로 어디에서나 누구나 원한다면 할 수 있어 부담도 없다. 매일 마시는 커피 비용을 줄이면 책도 여러 권 사서 볼 수 있는데 책 구매에는 지갑을 열지 않아 안타깝다.

성공자들에 관한 책을 20대부터 읽기 시작하면서 성공하고 싶은 욕구가 강했다. 그들처럼 되고 싶어 돈을 벌어 혼자 해외도 나가고 직업도 여러 가지 시도했다. 30대가 되어서는 결혼 후 안정적인 삶을 유지하기 위해 한 직장에서 40대 후반이 된 지금까지 일하고 있다. 회사 다니면서 속상할 때, 기쁠 때, 좌절했을 때 수시로 글을 썼다. 남편 따라 지방으로 내려오니 친구도 없고 적적할 때가 있었다. 마음이 외로울 때는 책이 친구가 되어주었다. 남편과 싸워서 화가 날 때도 만화로 된 《조선왕조실록》을 읽으며 화를 식혔다. 책 내용 중 무섭게 싸우는 장면을 읽으면 보상 심리로 독소가 빠져나가는 느낌이 들었다. 독서에 빠지면 시간이 흘러 화가 났던 감정도 수그러들어 감정 치유가 되었다.

내가 정한 성공의 의미는 자유롭고 여유롭게 하고 싶은 일을 하면서 살아가는 것이다. 이 의미로만 정의한다면 나는 지금도 성공했다고 할 수 있다. 아이들이 성장해서 시간도 자유로워졌다. 퇴근 후에는 아이들 식사만 챙겨주고 나면 나만의 시간을 보내며 읽고 쓰기에 집중하는 삶을 살고 있다. 목적도 없이 핸드폰을 만지작거리다가 동영상을 멍하니 보면서 시간을 낭비하게 되는데 하고 싶은 것을 찾으니 시간 활용도 알차게 사용하게 된다.

평범한 사람도 책을 내는 시대가 되어 그것 또한 감사하다. 지식인, 유명인만 책을 내는 것이 아니라 원고만 있다면 책 출간이 가능한 시대에 태어난 것을 누리고 있다. 책 출간은 버킷 리스트에 적어 놓지도 않았는데 써 보고 싶은 욕구가 생겨 글을 쓰기 시작했다. 공저도 써 본 경험을 가진 후 한 발짝 더 나아가 내가 직접 주최하여 글쓰기에 관심 있는 분들을 모집했다. 방법을 모르고 용기를 못 내는 사람들에게 도움을 주고 싶었다. 신기하게도 손을 내밀면 손을 잡아주는 사람들이 있다는 것이다. 그분들과 함께 평일 밤 9시에 한 시간 동안 이렇게 노트북 앞에 앉아 글을 쓰고 있다.

마음속에 하고 싶은 말이 많아서 그런지 글쓰기가 무겁게만 와 닿지 않고 술술 써 내려가지니 재미에 재미가 붙는다. 글을 쓰면서 생각이 정리되고 나는 이런 사람이었고, 앞으로 이렇게 살아가야겠다는 다짐도 한다. 나를 통해 지극히 평범한 사람도 할 수 있다는 것에 용기를 얻어 책 출간하는 사람이 증가하기를 바란다. 책 쓰기 관련 서적도 쏟아져 나오고 있다. 고가의 강의를 듣지 않고도 《강원국의 글쓰기》, 《책 한번 써 봅시다.》, 《글은 어떻게 삶이 되는가》 《어떻게 쓰지 않을 수 있겠어요》 책을 읽고 나서 평소 생각한 것을 글로 쓰면 된다. 하고자 하는 의지만 있다면 관련 동영상도 많기에 얼마든지 도전이 가능하다. 처음에는 무엇을 써야 하나 망설여지고 잘 써지지 않지만, 매일 습관적으로 쓰기를 하면 쓸 거리가 생긴다. 혼자가 힘들면 함께 하는 커뮤니티에 가입하여 도움을 받으면서 하는 것도 방법이다. 관심을 가지고 습관이 되면 뇌가 그것에 적응하게 된다. 새로운 사건이 생기면 흘려버리지 않고 생각하게 되고 그것이 글감이 되는 것이다.

AI가 발전해도 사람의 마음을 모두 표현하지는 못할 것이다. 기계는 사람이 주는 감동과 깊이가 다르다. 종이책과 e-book의 느낌이 다르듯이…… 그런 면에서 사람이 쓴 책은 꾸준히 출간될 것으로 믿는다. 살면서 잘한 일을 꼽으라면 독서로 시작해서 쓰기까지 진행하여 책을 출간한 것이라고 말할 수 있다. 이제는 다른 분들도 쓰기에 동참할 수 있게 영향력 주는 사람으로 거듭나고 싶다. 계속하다 보면 쌓이고 쌓여 나로 인해 독서하고 책까지 출간하는 사람이 많아지기를 바란다. 이를 통해 마음도 치유받고 자신을 토닥여줄 수 있는 여유가 생겼으면 한다.

8 장 독서 통한 사색 2

사랑-조건 없이 나눠주는 마음

　딸과 성향이 달라 충돌의 횟수가 잦았다. 이렇게 안 맞을 수가!!! 전쟁이 따로 없었다. 딸과 마주하기만 하면 언성이 높아지고 각자 자기주장을 내세우는 데 급급했다. 엄마인 나를 뛰어넘으려고 하는 자세가 화를 나게 했다. 내가 인내가 부족한 사람이라는 것을 딸을 통해 알게 되었다. 엄마는 그냥 되는 것이 아니었다. 대화법에 관련된 글도 읽으면서 딸과 어떡하면 가까워질 수 있을지 고민했다. 내가 이해하려고 노력하다가도 딸의 퉁명스러운 말투를 들으면 참기가 힘들었다. 부모가 변해야 자녀도 변하는 것을 알기에 적절한 거리를 두면서 상황에 따라 접근했다. 나의 컨디션이 좋지 않으면 짜증을 쉽게 내기에 건강관리에 신경을 썼고, 피로도를 높이는 일은 자제했다. 아이들에게 화를 쉽게 내게 만드는 환경적 요소들을 제거했다.

성실한 딸이 대견하다가도 섬세하고 성격도 달라 맞추기가 쉽지 않았다. 만나면 이해되지 않다가도 보지 않으면 그리워진다. 가족관계가 오묘하다. 떨어져 있을 때는 사랑의 메시지와 자랑스럽고 멋지다는 글로 문자를 보낸다. 장점을 부각하고 단점을 서로 보완하면서 지내자며 격려하고 응원해 주고 있다.

어느덧 성장해서 고등학생이 된 딸은 맛있는 거 있으면 나에게 주려고 본인은 배부르다고 하면서 남겨주고, 워킹맘인 내가 힘들까 봐 시간 내서 설거지도 해놓는다. 쌀쌀맞게 굴던 딸의 모습은 어디로 사라졌다. 내 딸이 아닌 것 같은 시간이 언제 있었나 싶다. 이 모든 변화는 엄마인 내가 변해서 나타난 현상이다. 후배들에게 늘 말한다. 아이들 탓을 하지 말고 엄마인 우리가 먼저 변해야 한다고……

사랑은 무형이라 표현하기에 난해하다. 그저 귀중하게 여기고 아끼는 마음으로 미워하지 않는 것이다. 무엇을 해도 믿어주고 잘할 거라 응원해 주며 그 자체로 인정해 주는 것으로 생각한다. 엄마 마음 같아서는 아이들이 완벽했으면 한다. 나보다 나은 삶을 살기를 원하고 안정된 직업으로 부의 축적이 상위층에 속하기를 바란다. 어느 부모가 그 마음이 없겠는가! 살아가는 방법이 다르고, 원하는 것이 다르기에 모두가 그렇게 될 수 없는 것이다.

아이들에게 필요한 정보를 주고 그 길을 잘 걸어갈 수 있게 지원해 주며 지켜봐 주는 것도 사랑이라 생각한다. 나의 욕심은 내려놓고 아이들이 행복할 수 있는 것을 선택하여 나가기를 바란다. 다른 아이들과 비교되면서 중심이 흔들려 잔소리가 나오려 하면 육아 관련 서적을 집어 들거나 강연을 듣는다. 다시 중심 잡기 위해 노력하는 방법이다. 내가 원하는 삶이 아닌 아이들이 스스로 원하는 삶을 찾아갈 수 있게 지원하고 있다. 어디를 가도 자신을 사랑하고 자신감 있는 모습으로 살아갔으면 한다.

어릴 적부터 부유한 집에서 자랐지만, 부모님의 사랑을 못 받은 사람이 가엾은 사람이다. 사랑은 돈으로도 살 수 없다. 마음과 마음이 전해져서 느껴지는 감정이기 때문이다. 엄마는 엄마대로 아빠는 아빠대로 사랑의 표현 방식도 다르다. 그런 맛을 느껴보지 못하고 자란 아이들은 가슴 아픈 일이다. 사랑을 받고 자란 아이들이 사랑을 나눌 줄도 안다. 사랑도 줄 수 있을 때 충분히 전달해야 나중에 후회가 덜 된다. 나이대별로 사랑을 전해 주는 방법도 차이가 있다. 사랑을 듬뿍 받고 자란 아이는 어긋나게 자랄 확률도 낮다.

자식에게 주는 사랑에만 치우치지 말고 우리를 키워주신 부모님에 대한 사랑도 생각해 볼 문제이다. 우리는 받고만 자랐지 부모님께 얼마나 사랑을 드렸는지 모르겠다. 늦기 전에 부모님도 생각하면서 미뤄두었던 사랑을 다양한 방법으로 전하고 말로 풀어내는 것이 필요하다. 아빠께 생전에 모진 말을 쏟아 부었던 일만 떠올라 마음이 좋지 않다.

 부모님께서 좋아하는 음식, 색깔, 취미 생활 등에 대해서도 알고 있는지 점검하고 함께해보는 시간도 사랑을 표현하는 방법이다. 혼자 계신 엄마께서 70대가 되면서 신체 고장 나는 소리가 여기저기 들린다. 자식들에게 민폐 끼치지 않으신다고 운동을 열심히 하시는데도 노화 현상은 어쩔수 없나 보다. 점심시간에 5분 할애해서 엄마 목소리를 듣기 위해 안부를 묻는다. 부모님이 안 계셨으면 나도 이 세상에 존재하지 않았기에 아낌없이 사랑을 전하고 있다. 좋아하는 것은 다 사드리고 싶고, 자주 찾아뵙지는 못하지만, 친정에 갈 때마다 엄마 방에서 지나간 이야기 나누며 잠자는 추억도 쌓고 있다. 함께 사진도 찍으면서 웃음 짓는다.

 톨스토이의 《행복의 발견》 인생론 에세이에서 모든 문제를 해결하고 최고의 행복을 가져다주는 것은 사랑이라 말했다. 사랑은 마음 치유의 약이며 사랑할수록 자신의 마음도 풍요로움으로 가득해진다. 내리사랑이라고 하지만, 부모님을 향한 사랑, 가족과 남편을 위한 사랑을 적절히 분배해서 줄 수 있을 때 원 없이 나누고 베풀면서 지낸다면 웃는 날이 많을 것이다. 사랑 주는 것은 무료이니 내 마음만 움직인다면 어렵지 않은 일이다.

성찰 - 나를 들여다보는 마음

 톨스토이의 《인생이란 무엇인가?》 완독은 못했지만, 구절마다 던지는 질문들이 쏟아졌다. 내 삶을 들여다보는데 어떤 질문부터 시작해야 할지 모를 때가 있다. 그럴 때는 고전문학을 읽으면서 성인들이 전해주는 메시지를 내 삶에 견주어 생각해 보면 성찰의 시간이 된다.

 성찰은 고해 성사 하기 전에 자신이 지은 죄를 자세히 생각하는 일 같은 것이다. 완벽한 인간도 없고, 매일 소소한 사건이 있기에 나를 돌아보는 시간을 가지고 발전해야 한다. 성찰해도 반복되는 실수나 잘못이 단시간 내 쉽게 고쳐지지 않지만, 하지 않는 것보다는 낫기에 혼자만의 시간을 통해 나를 돌아본다.

 육아하면서 성찰하는 시간을 많이 가졌다. 처음 해보는 육아가 세상 가장 힘들게 느껴질 줄 몰랐다. 아기를 좋아하지도 않았고, 아기를 다룰 줄 모르는 상태가 심각했다. 미래에 사업을 하더라도 아이들 대상으로는 절대 하지 않을 것을 다짐했을 정도이다. 고등학생 이상의 상대가 훨씬 편하고 수월하다. 육아하면서 울기도 하고, 속상해서 답답한 마음에 소리도 질렀다. 내 맘같이 안 되니 우울감도 찾아오고 시간이 빨리 지나가 아이들이 성장하기를 바랐다. 아이들이 중학생이 되니 사춘기 시절이 있기는 했지만, 지적, 비판, 평가, 충고, 비교보다는 존재 자체로 인정하고 설명하면서 나긋하게 대하니 내 마음도 여유로워지기 시작했다. 여러 가지 상황을 경험하고서 알게 되었다. 엄마인 내가 반성하는 시간을 통해 아이들과 사이가 돈독해졌다.

첫째를 키울 때는 지금 생각해도 미안할 정도로 몹쓸 짓을 했다. 고집이 센 아이라 고집을 꺾기 위해 윽박지르고 재촉했던 것이 기억에 남는다. 시간이 지났어도 딸이 몇몇 장면들은 기억하고 있었다. 서툰 엄마 역할 하느라 힘들었던 시절에 있었던 일을 떠올리면 어리석었다. 딸을 내 소유물처럼 대했고 나와 다른 개체로 존중하지 않았던 것도 미안했다. 나보다 어리다는 이유로 무시하기도 했다. 그런 점에 대해 미안함을 말로 표현했다. 그때의 내 마음을 이해했는지는 모르겠지만, 알았다고 하면서 용서를 받아주었다. 고등학생이 되어서는 엄마 마음을 가장 잘 알아주는 딸이 되었다. 딸에게 감사하다. 부족한 부분이 많은 엄마인데도 책임감 있게 학교생활도 잘하고 올바르게 자라주어 칭찬을 해주고 있다.

30년 동안 각자의 부모 밑에서 성장한 남녀가 만나 결혼하면 안 맞는 것은 당연하다. 부부싸움하고 나서도 성찰의 시간이 필요하다. 상대를 탓하기보다 자신을 들여다봐야 한다. 살아가는 패턴은 크게 다르지 않기에 서로 맞추려는 의지가 있고, 나아지는 모습으로 노력한다면 함께 살아가는 세월이 길어질수록 부부 사이는 가까워진다. 자신의 단점을 인지한다면 바꾸려 하고 상대의 장점을 찾고 인정의 멘트를 해주면 부딪칠 일이 줄어든다.

좋은 면을 보려는 관점을 가져야 더 좋은 면이 보이는 것이다. 사람이 싫으면 작은 몸짓 하나도 보기 싫어지듯이 사랑스러운 점을 찾아야 함께 행복한 길로 접어든다. 관계가 좋지 않아 안 좋은 말을 하게 되면 서로에게 상처만 남는다. 부부가 함께 살아가기 위해 각자가 성찰의 시간을 가지고 삶을 업그레이드하면서 행복했던 연애 시절을 떠오를 필요가 있다. 한 명만 노력해서는 절대 오랜 기간 같은 방향으로 걸어갈 수 없다.

남녀노소 불문하고 성찰의 시간은 주기적으로 가지면서 자신에게 집중해야 한다. 나를 알아가는 것이 모든 것의 첫 단추이다. 이런 시간은 새벽 시간이 가장 적절하다. 고요한 시간에 나와 대화하는 시간을 가지면 소통이 잘 된다. 책을 읽다가도 나랑 견주어 생각해 보고 과거도 떠올리게 된다. 내가 못난 것 같다가도 이렇게까지 지내온 것이 대견해서 쓰다듬어 주기도 한다. 매년 살아온 상장을 주라는 《마흔 수업》의 저자 김미경 작가의 말씀처럼 반성할 것은 반성하고 잘한 것은 잘 한대로 인정해 줘야 한다.

 이런 시간을 통해 자신이 무엇을 좋아하고, 무엇을 원하는지, 어느 방향으로 나아갈지 희미하게 보이기 시작한다. 단점을 보완하면서 있는 그대로의 내 모습을 좋아하고 있다. 잘하는 것을 발전시켜 할 수 있는 일과 연관해서 도전하려 한다. 성찰을 통해 내가 어떤 유형의 인간인지 알아가는 공부는 의무이자 필수이다. 내면의 소리를 듣고 조금씩 괜찮은 어른으로 자신이 생각했을 때도 나아지고 있다는 느낌을 받을 수 있도록 하루에 5분이라도 성찰의 시간을 가져 보자.

관계 - 유연하게 살아가기 위한 마음

 일은 배워서 하면 되는데 인간관계는 배운다고 되는 것이 아니기에 어렵다. 초등학생 때부터 학교에서 여자아이들 사이에서는 시기와 질투로 싸우기도 하고 삐져서 말을 안 하기도 한다. 중, 고등학생 때도 친구와 갈등, 선생님과 마찰, 부모님으로부터 받는 상처 등 문제가 쌓여 힘들다. 우주 안에서 나 혼자만 덩그러니 동떨어진 느낌을 받기도 한다. 코로나 시국 전에는 혼자 밥을 먹거나 혼자 차를 마시는 모습이 낯설기도 했다. 이제는 흔한 모습이 되었고, 나조차도 혼자 밥을 먹을 수 있다. 혼자 식사하면 친구 없어 그런가 라는 생각이 들었는데 혼자가 좋을 때도 있는 법이다. 점점 갈수록 사람들이 혼자 있을 때가 행복하다고 해서 살짝 걱정되기는 한다. 인간관계에서 중요한 건 양적인 것이 아닌 질적인 것이다. 진국으로 나를 알아주는 소수만 가까이 있어도 외롭지 않다. 핸드폰에 저장된 번호가 많다고 그들과 수시로 연락하며 지내는가! 아니다. 잠깐 스쳐 지나가는 관계도 많다. 필요에 의해서 연락하는 경우도 있다. 진정한 관계가 무엇인지 내 스스로에게 물어본다.

초등학교 때 이사를 자주 다닌 탓에 친구 사귀는 법을 몰랐다. 가장 오래된 친구는 고등학교 때 친구 2명이다. 대학 때부터는 외향적인 성향을 보여 연락하는 사람들은 다수이지만, 나에 대해서 얼마나 알까 싶다. 회사에서도 가만히 들여다보면 점심 식사를 함께하기 위한 연결고리로 관계를 맺고 있는 것이지 퇴직하면 연락을 주고받을지 의문이 생기는 관계가 대다수다.

서로에 대해 자연스럽게 호구 조사도 하고 최근 고민거리, 성향 파악 정도는 되어야 그 사람에 대해 알고 있다고 말할 수 있지 않을까! 친하다는 기준은 없지만, 마음 잘 통하고 만나면 편안해지는 관계가 제일이다. 회사에서도 일하다 보면 부서 변동이 있어 알고 지내던 직원들이 타 부서로 가고, 새로운 부서원들이 온다. 모든 사람과 가까이하기는 쉽지 않을 만큼 많은 사람의 이동이 있다. 사람에 대해 궁금하고 관심이 많지만, 에너지가 필요하다. 이제는 새로운 사람들과 식사하고 대화를 몇 번 나눠보면 나랑 결이 비슷한 사람인지 아닌지 알 수 있다. 대화를 이끌어가기 쉬운 사람인지 어려운 사람인지 느낌이 온다. 관심사가 비슷하면 끌림이 생기고 그렇지 않으면 일회성 만남으로 끝낸다. 잘 맞는 사람과 오랜 기간 함께 이어가고 싶은 것이 내 마음이다.

 친분이 두터운 사람이 많다고 외롭지 않은 것도 아니다. 사람은 혼자 즐길 수 있는 것을 만들어야 한다. 혼자 때로는 함께하는 것에서 즐거움을 찾는다. 하루 중 행복감이 최고조를 찍을 때가 새벽 독서하면서 함께 하는 이들과 좋은 글귀를 공유하는 시간이다. 독서를 즐기는 사람들이 모인 것 자체만으로도 행복이다. 좋은 것을 나눌 수 있고, 공감할 수 있다는 것이 감사한 일이다. 이를 통해 영감을 얻고 변화가 된다면 금상첨화이다.

 독서로 만남이 시작되었지만, 개인이 성장하여 또 다른 사람에게 독서문화전파를 위해 힘써 주기를 바란다. 잔잔한 호수에 돌을 던지면 파동을 일으키듯이 내가 주체가 되어 읽고 쓰는 커뮤니티를 통해 독서가들이 많아지고, 작가들도 배출되기를 바라는 마음에 움직이고 있다. 온라인뿐 아니라 대면하는 시간도 가지면서 유대관계를 유지해야 관계가 지속된다. 북카페나 독립 서점 탐방하면서 대화도 나누고 삶을 배워간다.

 이런 관계를 통해 진정한 관계가 무엇인지 알아가고 있다. 상대에게 주고 싶은 마음이 있으면 받을 생각하지 말고 그냥 순수한 마음으로 주어야 한다. 안 주는 것에 섭섭한 마음을 가지면서 나눔을 한다면 서운한 마음이 생겨 관계가 지속되기 어렵다. 관계는 상대를 진심으로 대해서 통하면 이어질 것이고, 통하지 않으면 스쳐 가는 바람이라 생각한다. 수많은 사람이 있기에 힘든 관계에 애쓰지 말고 현재 알고 있는 사람들에게 집중해서 유지하는 것이 현명하다.

예전에는 누군가와 함께 있어야 외롭지 않고 즐거운 줄 알았는데 이제는 나와의 관계를 돈독하게 하기 위해 혼자만의 시간도 즐길 줄 안다. 가수 양희은은 "인생은 한두 사람 잡고 사는 거다."라고 말씀하셨다. 이런 점에서 공감하고 나이를 먹을수록 인간관계를 넓히는 데 주력하기보다는 깊이를 공략해서 추억 쌓기에 노력하려 한다. 80대 노인이 되어서도 건강하고 경제적 자유를 가지면서 가족과 영향 주는 지인들이 있으면 세상에서 가장 행복할 것이다.

죽음 - 현재를 사랑하게 되는 마음

이제는 결혼식보다는 부모님의 부고 소식을 접하고 조문을 가는 경우가 많아진 나이에 돌입했다. 겨울이 되면 한 달에 2~3건이 발생하기도 한다. 주로 지인들의 부모님 상으로 위로를 해주기 위해 장례식장을 방문한다. 문상을 가면 검은 옷을 입은 상주들을 만난다. 검은색의 옷과 머리에 꽂은 하얀 리본을 보면 기분이 착잡하고 슬픔이 몰려온다. 아빠의 임종을 경험했기에 내 일처럼 느껴진다. 아빠의 시신을 화장터에서 화장하고 나서 남은 재를 항아리에 담아 건네받을 때는 인생이 허무하게 느껴졌다. 그때 죽음에 대해 이런저런 생각을 하게 되었다. 부모의 나이가 100세가 넘어서 돌아가시더라도 다시는 만지고 볼 수 없기에 가슴이 메어오는 일이다. 자식만 챙길 것이 아니라 후회되지 않도록 생전에 전화 목소리도 수시로 듣고 부모님과 보내는 시간을 만들어 추억을 쌓아가야 한다.

살아 있을 때 잘 살아야 하는데 잘 사는 것이 무엇인지 알기는 쉽지 않다. 늘 마음은 요동치기에 사건이 있을 때마다 흔들리고 울적하기도 하고 지쳐서 의욕이 사라지기도 한다. 죽음에 가까이 가서야 해보지 못한 것에 대해 후회하게 되는 경우를 많이 봐 왔다. 인간은 나약한 것 같으면서도 끝없는 가능성을 보일 때는 무한한 능력자인 것 같기도 하다. 이 모든 것은 마음이라는 것에서 시작된다. 청소년 시기에 격동기를 거치면서 사는 것이 지루하고 괴로운 적이 있었다. 그때도 죽음에 대해서 생각해 봤는데 그것도 큰 용기가 필요하다. 사랑하는 부모님께서 낳아 힘들게 키워주셨는데 스스로 삶을 내려놓는다는 것은 할 짓이 못 되는 것이라는 생각이 들었다. 주어지지 않은 것에 불만족만 생각하고 불평을 가졌다. 가진 것에 감사할 줄 몰랐던 철부지였다.

어른이 되어서는 어떻게 하면 잘 살 수 있을까를 생각해 왔다. 누가 알려주지 않기에 스스로 터득하는 수밖에 없다. 고령화 시대가 되면서 잘 살아가는 것도 중요하고, 잘 죽는 것도 중요하다. well-dying이 중요한 시대이다. 그것에 관해서도 지식이 필요하다. 나이가 들수록 죽음을 가까이서 보고 나서는 《떠난 후에 남겨진 것들》,《어떤 죽음이 삶에게 말했다》《빅터 플랭크의 죽음의 수용소에서》 등 죽음 관련 책을 읽으면서 내 삶의 가치관이 생겼다. 무엇을 위해 어떻게 살아야 할지 방향성을 잡아가고 있다. 잘 살아가기 위해 죽음 관련 책을 정기적으로 접한다. 하지 말아야 할 것을 깨닫게 되기도 한다.

죽음에 대해 생각하게 되면 가족이나 지인들에게 감사, 사랑 인사를 미루지 말아야 한다는 사실을 절실히 깨닫고 수시로 사랑의 메시지를 보낸다. 출근하고 가족 온라인 단체방에 사랑의 메시지를 남긴다. 스킨십도 하면서 말로 표현한다. 친구들에게도 연락해서 안부를 묻는다. 살아있을 때 마음을 보여주고 사랑을 나누자는 의도이다. 말로 사랑 표현하면 관계도 말랑말랑해지고 서로에 대한 애틋함도 생긴다. 대화 속 언어도 부드럽게 하게 되고 크게 다툴 일도 줄어든다. 받으려고 기다리지 말고 먼저 나서서 하면 상대도 좋은 글로 화답해 준다. 매일 들어도 지겹지 않은 것은 사랑의 메시지 아닌가! 돈이 드는 것도 아니고, 마음을 표현한다면 눈 감기 전에 못 나눌 사랑은 없을 것이다.

나이 들어 병원에서 오랜 투병 생활을 하지 말아야겠다는 생각도 강하게 든다. 건강이 원하는 대로 되지 않지만, 김수환 추기경님처럼 평온한 죽음을 맞이하기 위해 건강함을 유지하려면 운동은 필수이다. 자의적으로 움직이지 못하면 삶의 질이 떨어진다. 누워만 있는 환자가 되기 전에 연명치료 거부동의서도 생각해 둔 것이기에 얼마 전에 작성했다. 죽음이 먼 이야기라 생각되지만, 심신이 건강할 때 챙겨 두는 것이 좋다.

하고 싶은 일들을 우선순위에서 밀어내지 말고 할 수 있을 때 진행하고 있다. 건강이 허락될 때, 마음이 단단할 때, 여건이 주어질 때 해보고 싶은 것은 하면서 살고 있다. 당장 내일에 어떤 일이 벌어질지도 모르기 때문에 주어진 하루에 감사하며 버킷 리스트에 적어 놓았던 것들을 하면서 지낸다. 확신이 들고 나아가야 할 방향이 결정되면 마음껏 하려 한다.

죽음을 두려운 대상으로만 생각하지 말고 독서를 통해 생각해 볼 주제임을 염두에 두자. 죽음에 대해 생각하면 삶도 달리 보인다. 생각지 못한 것들에 대해 사람들과 이야기를 나누게 된다. 나랑은 상관없는 일로 치부해 버리지 말고 누구에게나 마주해야 할 일이다. 자주 생각할 필요는 없지만 남은 가족들에게 민폐 끼치지 않게 죽음을 마주할 방안에 대해서도 사유하는 시간을 가져보자.

경제 - 여유를 가질 수 있는 마음

일하는 여성을 꿈꿨다. 경제권을 가지고 당당하고 멋있게 자기 관리하면서 살아가는 여성이 부러워서 닮고 싶었다. 돈을 버는 목적보다는 자신만의 일을 가지고 발전하는 모습이 당차 보이고, 능력 있어 보였다. 전업주부로 살고 싶지 않아 갖은 고민과 고통을 극복하면서 워킹 맘으로 지내왔다.

정신없이 보낸 30대를 떠올리면 다시는 돌아가고 싶지 않을 정도이다. 그 당시에 최선을 다했기에 후회도 없다. 약 20년 한 직장에서 일하고 나니 다가올 50대는 무엇을 하며 보내야 하나 깊이 생각하게 된다. 50대 때는 지금과는 다른 직업을 가지고 살아가고 싶다. 관심이 생기면 그 방향으로 갈 것이라 믿고 움직이고 있다. 일은 건강이 허락하는 한 70대까지 할 것이다. 그 일이 무엇이든 간에 즐길 수 있는 일이 있다는 것은 삶의 활력을 불러일으킨다. 나이를 먹을수록 70대까지 일하고 싶다는 생각이 간절하다.

40대 중반이 되면 기억력도 점점 떨어지고 눈도 침침해지고 갱년기가 시작되기도 한다. 업무 능률이 떨어지는 것을 감안한다면 아무리 평균 수명이 길어졌어도 퇴직하는 연령은 60대 초가 적정하다. 노화 현상은 피할 수 없는 것이다. 60대가 되면 사람마다 차이는 있지만, 확연히 이해력도 떨어지고 판단력도 흐려진다. 서글픈 일이지만 현실이다. 젊을 때 돈을 모은 이유 중 하나는 나이를 먹을수록 시간에 쫓기지 않고, 리더가 되어 주도하는 일을 하고 싶어서다. 경제적인 풍족함이 확보된다면 자신이 진정한 주인으로 할 수 있는 일을 찾을 수 있다. 그런 일을 하는 내 모습을 상상하고 꿈꾸면 행복감이 밀려온다.

마음 안에 고난의 파도가 넘실거릴 때 공원에 나가 뛰거나, 취미 활동인 저축 상품에 가입하고 독서를 하는 것이 평안함을 준다. 내가 번 돈을 가지고 차곡차곡 쌓아서 모이는 것을 보면 쌓은 크기만큼 열심히 살아온 대가로 여겨지면서 근거 없는 자신감이 생긴다. 돈을 지출해서 물건을 쌓으면 시간 지나 물건이 사라지는데 저축하면 통장에 돈이 쌓이는 것이 보이니 든든하다. 필요한 곳이라 판단되는 것에는 과감히 소비한다. 단순한 경제관념을 가지고 젊을 때부터 그렇게 살아왔다. 책 《세이노의 가르침》에서도 젊음을 즐기면서도 부자가 되려는 것은 서로 다른 방향으로 뛰어가는 두 마리 토끼를 한 번에 다 잡으려는 헛된 꿈이라며 젊었을 때 신나게 노는 데만 돈을 다 쓰면 안 된다고 강조하고 있다.

적은 돈을 무시하지 않는 사람이 큰돈을 벌 수 있다고 말한다. 적은 돈을 우습게 여기는 사람은 현재 돈을 벌고 있어도 미래에 모인 돈이 없을 것이다. 티끌 모아 태산이라고 말하듯이 적은 돈을 소중히 다루어야 큰돈이 되는 것이다. 어느 정도 모인 티끌을 재테크 통해 크게 만들어 가면 돈이 쌓이는 속도가 빨라진다. 어릴 적에 경제적으로 여유 있는 집이 아니었기에 절약하는 것이 몸에 배기도 했다. 남들이 명품 가방이나 옷을 사도 부럽지 않았고, 단지 성공한 커리어 우먼들이 부러웠다. 나도 그녀들처럼 언젠가는 사업하는 여성으로 성공하고 싶은 막연한 꿈을 가졌다. 그런 꿈이 있었기에 돈을 모으는 데 주력해 왔다.

미래에는 하기 싫은 일을 하지 않고 살기 위해 지금 다니고 있는 회사에서도 버티며 견디고 있다. 견디는 힘도 있어야 다른 일을 할 수 있는 원동력이 된다. 평생 좋아하는 것만 하고 사는 사람이 몇 명이나 되겠는가! 힘든 시기를 경험해 봐야 나중에 인생이 값지게 느껴지는 법이다. 매일 좋으면 진정 좋은 것이 가까이와도 진짜 좋은지 모르는 법이다.

어릴 때부터 아이들 교육 중 가장 중요한 필수 교육이 경제 교육이라 생각한다. 쉽게 벌고 쉽게 쓰다가 한순간에 망하는 사람들이 많다. 20대부터 큰돈을 쥐어본 사람은 흥청망청 소비하고 거지가 되기도 한다. 복권에 당첨되어 일확천금을 받고 한순간 탕진하여 밑바닥 인생을 사는 기사를 종종 접한다. 젊을 때는 고생도 하고 다양한 경험하면서 실패도 맛봐야 회복 탄력성이 생긴다. 승승장구해서 부자가 된 사람은 드물다. 시련과 좌절의 롤러코스트를 타야 내면이 단단해지면서 뻗어갈 에너지가 생긴다.

아이들에게 나이에 맞는 적절한 소비 패턴을 들려주면 잔소리로 듣기 싫어한다. 간간이 들려주는 경제교육을 통해 은연중에 교육이 되었는지 허투루 돈을 사용하지 않는 모습이 대견하다. 필요할 때 적절하게 타이밍 맞춰 구매하고, 사고 싶은 것이 있으면 돈을 모을 수 있게 알려준다. 시간을 내서 아이들과 경제 수업을 가지는 것도 유익하다.

아이 1~2명을 키우는 집이 많다 보니 초등학생들에게 용돈을 많이 주는 것을 흔히 본다. 돈에 대한 개념이 없고, 별생각 없이 흥미 위주의 소비로 바로바로 써버린다. 풍족한 시대에 태어나 복을 받은 것인지 모르겠지만, 부모가 언제까지 뒷바라지 해주지 못한다. 그들이 성인이 되어 경제적인 능력이 없다면 참아낼 힘이 있을까 싶다. 끈기, 인내심이 강한 아이들은 역경과 마주해도 이겨낼 지혜가 생긴다. 부모가 천년만년 챙겨줄 수 없기에 스스로 할 힘을 키워주는 것이 부모 역할이라 생각한다. 그런 면에서는 부모님께서 나를 20대부터 자립적으로 키워주신 것에 감사하게 생각된다.

노년기에 접어들면 아이들에게 의존할 수 없기에 소일거리라도 할 수 있는 일을 찾아서 내 몸을 움직이면서 살 것이다. 일에 대한 보람도 느끼고 소득이 있어야 살아 있는 느낌을 받고 건강해진다. 가만히 노는 것보다 일을 하는 것이 정신 건강에도 이롭다. 경제력이 있는 노인으로 늙어가는 꿈을 그린다. 그때를 준비하기 위해 지금부터 어떤 일이 좋을지 알아보고 경험하고 있다.